ZAMACH na PRAWDĘ

MAŁGORZATA WASSERMANN
BOGDAN RYMANOWSKI

ZAMACH na PRAWDĘ

WYDAWNICTWO m

Kraków

Redakcja, korekta i skład
MELES-DESIGN

ISBN 978-83-7595-948-2

Wydawnictwo M
31-002 Kraków, ul. Kanonicza 11
tel. 12-431-25-50; fax 12-431-25-75
e-mail:biuro@wydawnictwom.pl
www.wydawnictwom.pl

Dział handlowy: tel. 12-431-25-78; fax 12-431-25-75
e-mail: handel@wydawnictwom.pl

Księgarnia wysyłkowa: tel. 12-259-00-03; 721-521-521
e-mail: bok@klubpdp.pl
www.klubpdp.pl

Rodzicom

Małgorzata Wassermann

„Jeśli wolność słowa w ogóle coś oznacza, to oznacza prawo
do mówienia ludziom tego, czego nie chcą słyszeć”

George Orwell

Spis treści

Część pierwsza

„Miałam wyrzuty sumienia, że umierał samotnie"

Ojciec nigdy na nas nie krzyczał, nawet jeśli był z czegoś niezadowolony. Wolałabym, żeby zrobił awanturę i trzasnął drzwiami, ale on milczał. I właśnie w ten sposób usiłowałam sobie wytłumaczyć jego pośmiertne milczenie. Miałam wyrzuty sumienia, że umierał samotnie.

Do dzisiaj się zastanawiam, co wtedy czuł.

I czy zdawał sobie sprawę z nadciągającego końca?

Myślę, że uświadomił sobie, co go czeka, na kilka, może kilkanaście sekund przed śmiercią.

W pierwszych tygodniach po katastrofie, gdy nie mogłam zasnąć, wyobrażałam sobie, że jesteśmy w tym samolocie razem i siedzimy obok siebie. Nagle z maszyną zaczyna się dziać coś dziwnego, a tata już wie, że musi umrzeć.

Jaka mogła być jego ostatnia myśl?

Przypuszczam, że myślał o mamie i o nas. Zastanawiał się, jak sobie bez niego poradzimy. Kiedy mama się czymś martwiła, bardzo starał się poprawić jej nastrój. Byle tylko nie było jej przykro.

Pogodziła się pani z jego śmiercią?

Wierzę, że on jest cały czas obecny i czuwa nad nami. Żyje, tylko w innym wymiarze.

Wielokrotnie czuliśmy, że jest tuż obok. Śnił się wielu osobom. Kilka tygodni po 10 kwietnia przyśnił się pewnemu nauczycielowi, znajomemu siostry.

Dlaczego właśnie jemu?

Nie mam pojęcia. Może dlatego, że ten człowiek szanował tatę za życia i bardzo przeżył jego śmierć. Dużo się za niego modlił. Nauczycielowi śniło się, że odwiedza biuro poselskie ojca. Była tam kobieta, która rozmawiała z tatą. „Panie pośle, czy zdaje pan sobie sprawę, że pan nie żyje?" – pytała. „Tak". „Ale jak to możliwe, że pan nie żyje, a cały czas nam pomaga?" – chciała wiedzieć. „Kiedy będziecie tam, gdzie teraz jestem, zrozumiecie. Mogę wam pomagać bardziej niż za życia. Ja funkcjonuję, tylko w innym wymiarze".

Zwrotu „funkcjonuję w innym wymiarze" używał bardzo często. Nauczyciel powtórzył go nawet z akcentem ojca. „Pamięta pan, że była straszna katastrofa?" – ciągnęła kobieta. „Tak, pamiętam". „Ale przecież wszyscy zginęli!" „Tak, wiem". „Pan się nie bał?" „Bałem się. Bardzo. Ale tylko minutkę".

To było kolejne jego ulubione wyrażenie. „Tylko minutkę".

Nauczyciel rozmawiał z ojcem za życia?

Nigdy się z sobą nie spotkali.

„Na trzy miesiące przed katastrofą lęk wyparował"

Nie miałam pojęcia, co to alkohol i awantury. Ojciec nie przeklinał. W chwilach największego wzburzenia używał słowa „pajac". Jeśli pozwoliłam sobie na przekleństwo, zawsze zwracał mi uwagę.

Bardzo się kochaliście.

Nie umieliśmy bez siebie żyć. Rodzice stworzyli nam tak idealny dom, że nie chcieliśmy go opuszczać. Kiedy się wyprowadziłam, i tak prawie każdy weekend spędzałam z mamą i tatą.

Byliśmy szczęśliwi jak na pięknym zdjęciu. Zwierzaliśmy się sobie i podtrzymywaliśmy się na duchu, kiedy pojawiały się problemy. Cała trójka – siostra, brat i ja – potwornie baliśmy się o rodziców. Zmuszałam ich do regularnych badań kontrolnych, przynajmniej raz w roku. Złościli się, że to marnowanie czasu, bo nic im nie jest.

Nie mogłam oglądać czarno-białych filmów, ogarniał mnie wtedy straszny lęk. „Boże – myślałam – jacy ci bohaterowie są piękni, ale przecież już nie żyją. Rodzice też mogą umrzeć. Jesteśmy tacy szczęśliwi, a przecież to kiedyś może się skończyć".

Kiedy to się zaczęło?

Przeczucie, że może stać się coś złego, zaczęło mi towarzyszyć od 1989 roku. Miałam dwanaście lat. Ojciec zaczął chudnąć w strasz-liwym tempie. W ciągu zaledwie kilku tygodni stracił 30 kilogramów. Lekarz podejrzewał wrzody i skierował go do szpitala na rutynowy zabieg. W jego trakcie okazało się, że to nowotwór w bardzo zaawansowanym stadium. Profesor Herman, który operował tatę, wyszedł z sali, by zadzwonić do mojej mamy. Za chwilę wrócił z informacją, że dostał zgodę na inwazyjną operację ratującą życie. To był blef, nie dodzwonił się do mamy. Liczyła się każda minuta. Kolejnej operacji ojciec mógł nie dożyć. Profesor wziął całe ryzyko na siebie. Tata został uratowany.

Po operacji ojciec powiedział, że dostał od Pana Boga drugie życie i musi je lepiej wykorzystać.

Zmienił się?

Przestał palić. Codziennie był na mszy świętej. Zaczął jeszcze więcej ćwiczyć. Rano był w kościele, po południu na siłowni. Mając sześćdziesiąt lat wyciskał tyle co dwudziestolatek. Zawsze dużo pracował, ale po operacji zaczął harować jak wół.

Zbigniew Wassermann z wnuczką Asią (fot. archiwum rodzinne)

Mama, która jest informatykiem, pisała programy i często pracowała po nocach, więc dość późno wstawała. Ojciec szedł rano po bułki, robił kanapki i wyprawiał całą naszą trójkę do szkoły. Któregoś ranka mama się zdziwiła, kiedy zobaczyła na stole trzy zapakowane kanapki. Sądziła, że to my nie wzięliśmy prowiantu, ale to było śniadanie ojca, którego zapomniał zabrać do pracy. Jego metabolizm bardzo się zmienił. Tata miał ogromny apetyt i często był głodny. Kiedy wracał na weekend do domu, uwielbiał gotować. Świetnie przyrządzał fasolkę po bretońsku, grochówkę lub pieczoną kaczkę.

Lęk o rodziców z czasem minął.

To było trzy miesiące przed katastrofą. Dziwne, prawda?

Ojciec zrobił badania, wyniki były kiepskie. Na szczęście to był fałszywy alarm. Za podwyższone markery odpowiadały odżywki z siłowni. Gdy je odstawił, wszystko wróciło do normy. Byłam wściekła, że ja włosy sobie z głowy wyrywam, a on wszystko lekceważy. Pomyślałam, że mój strach jest irracjonalny. Skoro rodzice mają się dobrze, dlaczego mam się dalej zadręczać? I nagle te lęki wyparowały.

„Jak samolot ma spaść, to i tak spadnie"

Imieniny ojca wypadały w tym roku akurat w Wielką Sobotę, dlatego urządziliśmy przyjęcie tydzień wcześniej. Odwiedził nas senator Cichoń z małżonką; prosili ojca, by pomógł im dostać się na samolot do Katynia. Tata obiecał, że zapyta o wolne miejsca. Szanse były nikłe, ponieważ na liście rezerwowej było kilkaset osób.

Sam o podróży do Rosji nie myślał?

Nie. Z powodu pracy w komisji hazardowej nie zdążyłby tam dojechać pociągiem, a o samolocie nawet nie marzył.

Ostatni raz widzieliście się w święta.

W lany poniedziałek po południu. Zbierałam się już do swojego mieszkania; akurat wychodziłam z domowej siłowni, gdy ojciec przyszedł poćwiczyć.

O czym rozmawialiście?

Wymieniliśmy parę zdań o wyjeździe do ośrodka w Lucieniu, gdzie planowaliśmy spędzić majowy weekend. Bardzo lubiliśmy to miejsce. Mama, tata, siostra, siostrzenica i ja.

W tym gronie czuliśmy się najlepiej. Z boku mogło to wyglądać na jakąś patologię – w końcu dorosłe dzieci spędzały każdą wolną chwilę z rodzicami. Tata pytał żartem, czy kiedyś będą mogli z mamą pojechać gdzieś bez nas, żeby zaznać odrobiny spokoju.

To była wyjątkowa Wielkanoc, bo zniknęły wszystkie moje lęki.

Ojciec wyjechał do Warszawy zaraz po świętach.

We wtorek rano. Był bardzo smutny. Mama mówi, że wyglądał, jakby jechał na ścięcie. Sądziła, że to z powodu komisji śledczej i warunków pracy, jakie stwarzał przewodniczący Sekuła.

Kiedy dowiedzieliście się, że leci do Rosji?

W środę. Tata zadzwonił do kancelarii. Odebrał Mateusz Bochacik, dyrektor biura ojca i mój ówczesny aplikant. Ojciec mówił, że jest mu pilnie potrzebny paszport dyplomatyczny, który zostawił w domu. Musieliśmy go wysłać kurierem.

Trzy razy dzwonił i pytał, czy nie zapomnieliśmy. Nigdy wcześniej tak się nie zachowywał. Każdą jego prośbę spełniałam na czas.

Ojciec powiedział mamie, że to Jarosław Kaczyński oddał mu swoje miejsce w samolocie. Musiał się zaopiekować chorą matką, która przebywała w szpitalu.

Ucieszył się, że będzie w Katyniu?

Bardzo.

W czasie przerwy w obradach komisji podszedł do niego asystent Krzysztof Łapiński i przekazał paszport. Powiedział, że dobrze, iż leci „tutką", a nie jakiem, bo to bezpieczniejszy samolot. Ojciec odpowiedział: „Panie Krzysztofie, jak samolot ma spaść, to i tak spadnie, nawet jeśli jest najnowocześniejszy".

Czegoś się obawiał?

Latał samolotami na trasie Kraków–Warszawa dwa razy w tygodniu. Przez ostatnie dziesięć lat podróżował nimi równie często jak ja samochodem. I nagle mówi: „jak ma spaść to spadnie"? Nie jest to do końca normalne. Ale Krzysztof nie wyczuł w głosie ojca niepokoju.

Mama często z nim rozmawiała?

Dzwonili do siebie codziennie.

Dwa dni przed katastrofą dał jej do zrozumienia, że wyjazd do Smoleńska nie będzie zwykłą podróżą. „Wiesz, Halina, to może być bardzo niebezpieczny lot" – powiedział. Kiedy zapytała: „Ale o co chodzi?", swoim zwyczajem zmienił temat: „A ugotowałaś dzisiaj coś dobrego?".

Ani słowa więcej?

To była krótka rozmowa. Nigdy nas nie straszył. Nie ujawniał żadnych tajnych informacji. W świetle tego, że zajmował się służbami, to zdanie nabiera innego sensu. Może wiedział coś o grożącym im niebezpieczeństwie? Nie wiem.

Wiele razy powtarzałyśmy mu z mamą, że boimy się o niego i powinien na siebie bardziej uważać.

Jak reagował?

Mówił, że histeryzujemy. Powtarzał, że jeśli ktoś się boi, to powinien otworzyć sklep i sprzedawać warzywa. A prawdopodobieństwo, że coś mu się stanie, jest równie nikłe jak to, że spadnie mu cegła na głowę. To był czas, gdy zajmował się rozpracowywaniem tak zwanej mafii krakowskiej. Kiedy zaczął publicznie o niej mówić, wyśmiewano go, że Polska to nie Włochy i mafii nie ma. Potem okazało się, że miał rację.

Ostatni raz rodzice rozmawiali w piątek 9 kwietnia.

Mama odniosła wrażenie, że ojciec jest przygnębiony. „Zbysiu, czuję, że jesteś strasznie smutny" – powiedziała. Tata zaprzeczył. Powiedział, że jest tylko zmęczony.

Siostra widziała go tego dnia w telewizji, podczas transmisji obrad komisji hazardowej. Ojciec przesłuchiwał Marka Przybyłowicza, byłego prezesa spółki Służewiec – Tory Wyścigów Konnych w Warszawie. Agata była zaniepokojona, bo bardzo źle wyglądał. Mówiła, że był taki czarno-biały.

„Skoro Zbysia nie ma, nie ma już nic"

Dziesiąty kwietnia…

… Boże, chciałabym o tym dniu zapomnieć.

Obudziłam się wcześnie, bo w soboty miałam lekcję niemieckiego. Włączyłam RMF. Gdy przerwali program, wpadłam w histerię. Zadzwoniłam do znajomego dziennikarza. Powiedział, że wie niewiele więcej. „Ale w tym samolocie był mój ojciec!" – wykrzyczałam. „O k…!" – usłyszałam w odpowiedzi.

Pomyślałam, że musi być bardzo źle.

Nie zadzwoniła pani do ojca?

Nie. Pierwsza myśl była taka, że trwa akcja ratownicza, więc nie mogę im przeszkadzać. Zadzwoniłam do kolegi, który miał znajomych w Warszawie. Powiedział, że sytuacja jest bardzo ciężka, ale nie powinnam się martwić, bo do katastrofy doszło przy lądowaniu. Na pewno nie wszyscy zginęli.

Chodziłam od ściany do ściany, papieros za papierosem i telefony. Mnóstwo telefonów. Pocieszałam się, że jest sobota. Mama i siostra jeszcze śpią, więc zadzwonię później i powiem, że był wypadek, ale tata przeżył. Jednak to Agata zadzwoniła pierwsza. Płakała. Nie była w stanie nic powiedzieć. Kiedy pojechałam, żeby zabrać ją do domu rodziców na Bielanach, pogubiłam się na drodze, którą przemierzałam setki razy.

Mama czekała z wnuczkami, Asią i Mają. Była strasznie blada. Widać było, że powstrzymuje się od płaczu, by nie przestraszyć dziewczynek.

„Nic już nie ma sensu. Nie mówcie nic. To już nie ma znaczenia" – powiedziała na powitanie. Jakby chciała dać nam do zrozumienia, że „skoro Zbysia nie ma, to nie ma już nic".

Nie było wiadomo, czy wszyscy zginęli. Długo żyliście nadzieją?

Niecałe dwie 2 godziny.

Ktoś z rodziny śledził informacje w Internecie. Około jedenastej przeczytał, że ojciec jest na liście ofiar. Oficjalnych wiadomości nadal nie było. Nie odchodziliśmy od telewizora. Gdy na pasku pojawił się numer infolinii, zadzwoniłam.

Mieliście pewność, że ojciec wsiadł do samolotu?

Potwierdzenie dostaliśmy około trzynastej.

Na infolinii zapytałam o wyjazd do Rosji. Powiedziano mi, że nie ma takiej potrzeby. Jednak w mediach usłyszeliśmy, że w Warszawie gromadzą się rodziny. Zadzwoniłam jeszcze raz. Otrzymałam tę samą informację co poprzednio. Wieczorem poszliśmy na Wawel. Na mszy świętej w intencji ofiar były tłumy.

Niedziela wyglądała podobnie?

Telefony. Dziesiątki telefonów od znajomych. Pocieszanie. Wyrazy otuchy. I odrętwiająca całe ciało rozpacz.

Kiedy w poniedziałek rano jechałam do kancelarii, usłyszałam w radiu, jak minister Kopacz odczytuje listę zidentyfikowanych pasażerów.

Ojca na niej nie było.

A przecież powiedzieli, że nie musimy nigdzie lecieć. To był już trzeci dzień po katastrofie, a my wciąż nie mieliśmy pojęcia, co z tatą.

Od soboty cały czas na nogach. Nie jedliśmy, nie piliśmy, nie spaliśmy. Czekaliśmy. Nie wiedzieliśmy, co robić. Lecieć czy nie lecieć do Moskwy? Na infolinii powiedziano nam, że udało się rozpoznać ciało Zbigniewa Wassermanna. Dwie godziny później usłyszałam, że to jednak nieprawda. Przekonywano mnie, że nikt nie mógł mi podać takiej informacji. A przecież zanotowałam nazwisko i numer telefonu tej osoby. Pani, która dwukrotnie mówiła co innego, przyznała w końcu, że lot do Moskwy się odbędzie. „Dobrze, ale proszę powiedzieć, co mamy zrobić, żeby się tam dostać?" – pytałam. Wciąż nic nie wiedzieliśmy. Byłam załamana. Poprosiliśmy o interwencję posłów z PiS.

I wtedy zadzwonił marszałek Bronisław Komorowski.

Przełączyłam komórkę na tryb głośnomówiący, by wszyscy słyszeli. „Czy jest jakiś problem?" – chciał wiedzieć. „Tak, jestem kolejny dzień wprowadzana w błąd przez urzędników" – poinformowałam go. Kiedy zapytał, jak może pomóc, poprosiłam o załatwienie biletów do Rosji. Obiecał, że to zrobi. „Coś jeszcze?" – spytał. Powiedziałam, że to wszystko. Rozmowa trwała może 3 minuty.

Dostaliśmy już precyzyjne informacje. Mamy jechać do Warszawy, gdzie w hotelu czekają rodziny. Wojewoda małopolski podstawił nam samochód. Na miejscu byliśmy o pierwszej w nocy. Rano o szóstej trzeba było pojechać do MSW, by wyrobić paszport i wizę. Do Moskwy odlecieliśmy samolotem rejsowym o jedenastej.

Miała pani pretensje do władz za ten chaos?

Absolutnie nie. Myślałam, że to nie ma znaczenia. Przecież nasze władze mają na głowie ważniejsze sprawy. Zajmują się teraz naszymi bliskimi i naszym samolotem. Cała reszta to są rzeczy drugorzędne. Okazało się, że było inaczej.

„Małgorzata, ty nie wiesz, z kim rozmawiasz!"

Do Moskwy polecieliście we troje.

Razem ze mną była bratowa Daria Wassermann i Mateusz Bochacik. Z lotniska udaliśmy się prosto do Instytutu Medycyny Sądowej. Umieścili nas w auli na parterze z innymi rodzinami czekającymi na identyfikację. Panował bałagan. Brakowało ludzi. Po godzinie podeszli do nas pani psycholog z Polski, rosyjska tłumaczka i prokurator. Zabrali nas do pokoju na pierwszym piętrze.

Zaczęły się pytania.

Wcześniej do pokoju weszła atrakcyjna blondynka. Wyglądała na czterdzieści parę lat. Usiadła i się nie odzywała. Byłam przekonana, że jest psychologiem. Za stołem siedziało dwóch prokuratorów. Jeden z nich palił papierosa i puszczał mi dym prosto w twarz.

Zapytał o cechy charakterystyczne ojca i rzeczy, które miał przy sobie. Byłam przerażona. W głowie miałam pustkę. Nie pamiętałam nawet koloru jego oczu. Pokazałam zdjęcie taty z komórki. Po resztę informacji musiałam zadzwonić do mamy.

W jakim była stanie?

Była cała roztrzęsiona. Starałam się ją uspokoić. Poprosiłam, by poszukała zdjęć i opisała znaki szczególne ojca, zwłaszcza blizny po operacjach. Nasza

przerywana płaczem rozmowa trwała może z pół godziny. Nie chciałam prze-
oczyć najmniejszego szczegółu. Kiedy zaczęłam to wszystko relacjonować
prokuratorowi, nagle przestało go to interesować.

Kto identyfikował ciało?

Sama nie czułam się na siłach. Poprosiłam Darię i Mateusza. „W takim
razie – mówi prokurator – protokół trzeba pisać od początku". I podarł go na
naszych oczach. Powiedział, że mają ciało pasujące do naszego opisu, więc
Daria i Mateusz zeszli do prosektorium.

Wtedy podeszła do mnie blondynka. Świetnie mówiła po polsku,
bez cienia akcentu. Byłam pewna, że jest Polką. Była miła i zapropo-
nowała, że pomoże mi załatwić wszystkie formalności. Wyszłyśmy do
drugiego budynku, gdzie przedstawiła mi kolejnego prokuratora. „To
Sierioża, on tu jest najważniejszy". I ten Sierioża odczytał mi pierwsze zdanie protokołu: „Oświadczam, że rozpoznałam ciało swojego
ojca". Zaprotestowałam. Powiedziałam, że zanim coś podpiszę, chciałabym porozmawiać z Darią i Mateuszem. Prokurator na to, że on zadzwoni. Nie zgodziłam się. Sama wykonałam telefon. Daria i Mateusz
nie mieli wątpliwości. „Tak, to jest ojciec".

Poczuła pani ulgę?

Ogromne napięcie i stres przemieniły się w jednej sekundzie w euforię.
Jakbym dostała wymarzony prezent. „W porządku – powiedziałam – teraz
mogę podpisać. Wszystko podpiszę, tylko mnie stąd wypuśćcie".

Przesłuchanie trwało jednak dalej.

I nieprawdopodobnie się ciągnęło.

Kiedy prokurator zapytał, ilu używam imion, odpowiedziałam, że
jednego. Wyszłam na papierosa. Gdy wróciłam, okazało się, iż problemem jest, że w paszporcie są jednak dwa imiona. Zaproponowałam, żeby
wpisać ogólną formułkę typu „z urzędu stwierdza się, że w dokumencie figuruje drugie imię". „Nielzia" – usłyszałam. Protokół trzeba pisać
od nowa. Byłam zmęczona i wyczerpana. Od katastrofy praktycznie nie
zmrużyłam oka.

Mateusz Bochacik:

Zeszliśmy na najniższy poziom budynku. W dwudziestometrowej sali ustawionych było sześć stołów, wszystkie przykryte białymi prześcieradłami. Spod jednego wystawała ręka, na drugim zobaczyłem jakby kopiec z ludzkich szczątków. W sali znajdowało się kilka osób w białych fartuchach. Ciało posła Wassermanna dostrzegłem zaraz po wejściu. Było przykryte do pasa. Miał spokojną twarz. Biła z niej godność. Włosy zasłaniały zmiażdżoną czaszkę. Jedna ręka była przyszyta do tułowia. Jakiś Rosjanin tłumaczył, że została odcięta przez pasy bezpieczeństwa. Obszedłem stół, by upewnić się, że to poseł Wassermann. Na brzuchu zobaczyłem bliznę po operacji, ale nie widziałem szwu sekcyjnego. Pokazano mi jeszcze fotografię nagiego ciała. Nie miałem wątpliwości. Poprosili, żeby podpisać protokół. Zrobiła to Daria Wassermann.

Inne rodziny też były poirytowane powolnością urzędników. Tak wygląda rosyjska biurokracja.

Na początku też myślałam, że to zwykła nieporadność i urzędnicze procedury. Dalej było jednak gorzej.

Pojawił się kłopot z długopisem. Jedną stronę protokołu podpisałam na niebiesko, drugą na czarno. „W porządku – mówię – złóżmy parafki i będzie po sprawie". „Nielzia". Procedura tego nie przewiduje. Piszemy więc od początku.

Mija kolejna godzina przesłuchania.

Zaczynają odczytywać pouczenia po rosyjsku i tłumaczą na polski. Słowo po słowie. Przerywam im. „Znam swoje prawa, jeśli w Rosji są inne, to mogę z nich zrezygnować". Nie pomaga, czytają mi dalej.

Przez cały czas wydzwania do mnie Daria. Prosi, bym już kończyła, bo jest późno, a rodziny chcą jechać do hotelu. Czekają tylko na mnie. Proszę, żeby mnie nie zostawiali. Za 10–15 minut powinno być po wszystkim. Prokurator proponuje, że osobiście odwiezie mnie do hotelu, ale ja odmawiam. Nie próbuję już ukrywać zdenerwowania. Blondynka chwyta mnie za rękę. „Małgorzata, ty z nim nie dyskutuj, to najważniejszy prokurator". Wyciąga z torebki raphacholin. „O widzę, że ma pani nasze lekarstwo, jest pani Polką?" – pytam. „Nie, jestem Rosjanką".

Po tych słowach jakbym ocknęła się z letargu. Zdałam sobie sprawę, że nie ma przy mnie nikogo z Polski. Pani psycholog i pracownik ambasady w Moskwie wyszli z pokoju.

Dlaczego panią przesłuchiwali, skoro było już dawno po identyfikacji?

Nie potrafiłam tego zrozumieć.

Padają kolejne pytania. „Kim jest Daria? Czy mieszka z ojcem? Czy pani również z nim mieszkała?" Nie mam pojęcia, co to ma wspólnego z identyfikacją. Staram się być grzeczna. Myślę sobie, że im szybciej odpowiem, tym prędzej wyjdę. Prokurator drąży: „Po co ojciec tu przyleciał?". „Aby uczcić pamięć zamordowanych Polaków" – odpowiadam. „A z kim?" „Czy mam wymienić wszystkie dziewięćdziesiąt pięć nazwisk?" – podnoszę głos.

Wychodzę na papierosa. Za mną Rosjanka. Obejmuje mnie ramieniem. „Małgorzata, ty się tak nie denerwuj. Dobrze rozumiem twój dramat. Mój ojciec był górnikiem i również zginął w strasznych okolicznościach. Kiedy był pod ziemią, doszło do wybuchu. Powinien być w domu, ale chciał zrobić koledze przysługę i wziął za niego szychtę". Byłam autentycznie poruszona. To sytuacja jak z moim ojcem.

Czy w Moskwie komuś pani wspominała o tych rodzinnych sprawach?

Nikomu. Oni wiedzieli o nas bardzo dużo. Prokurator nie pytał, ile wnuczek miał ojciec, tylko jak miała na imię druga wnuczka. Były inne pytania: gdzie pracuję, czy to moja własna kancelaria, jaki jest do niej numer telefonu. Zorientowałam się, że coś jest nie tak. Rosjanka nie odstępowała mnie na krok. Bez przerwy o coś wypytywała. Druga z kobiet, tłumaczka, dawała do zrozumienia, że widzi całą grę, ale sugerowała, że lepiej się nie stawiać. Następne pytania były jeszcze bardziej idiotyczne: kiedy ojciec przekroczył granicę z Rosją, czy przyleciałam razem z nim.

Może to pomyłka w tłumaczeniu?

Tłumaczka cytowała precyzyjnie i wyraźnie. Nie wytrzymałam. Odmówiłam dalszego udziału w czynnościach.

Jak zareagowali?

Spokojnie. Powiedzieli, że mnie rozumieją i będą powoli kończyć. Mieli jeszcze tylko jedno pytanie: na ile nasza rodzina wycenia to, co się stało. Ledwo powstrzymałam się od wybuchu. Odpowiedziałam, że nie da się wycenić tej tragedii. Znowu zadzwoniła Daria. „Cały instytut skończył pracę. Rodziny się niecierpliwią, czekamy tylko na ciebie". Prosiła, żebym zeszła na dół.

O tym, że jestem przesłuchiwana, wiedzieli i Ewa Kopacz, i Tomasz Arabski, i ksiądz Henryk Błaszczyk. Nikt się tym jednak nie zainteresował.

Był bałagan. Może myśleli, że pani wciąż uczestniczy w identyfikacji?

Wiedzieli, że dawno się skończyła. Bratowa mówiła o tym ministrowi Arabskiemu. Miałam świadomość, że jest bardzo późno, a ludzie nie spali od trzech nocy, ale teraz błagałam Darię, żeby na mnie poczekali.

Prokurator przyniósł worek z rzeczami ojca i wysypał je na stół. Mówił, że trzeba spisać protokół odbioru. Wyrwałam mu kartkę z rąk i zaczęłam pisać: „Ja, Małgorzata Wassermann, kwituję odbiór następujących rzeczy będących własnością ojca". On na to, że tak być nie może. Protokół musi być zgodny z rosyjską procedurą. Zaczęłam mówić do niego na „ty". „Chłopie, jak ty będziesz pisał w takim tempie, to będzie to trwało tydzień". Tymczasem on, jak gdyby nigdy nic, zabrał się do rozbierania komórki ojca i spisywania jej numerów seryjnych. Zajął się też opisywaniem programu wizyty w Katyniu. „Jeśli chcecie, to weźcie sobie ten program, ale dłużej siedzieć tutaj nie będę!" – krzyknęłam zirytowana. Zszokowana tłumaczka złapała się za głowę, a blondynka zaczęła mnie strofować: „Małgorzata, ty nie wiesz z kim rozmawiasz".

Co stało się z ubraniem ojca?

Prokurator chciał, żebym podpisała zgodę na jego spalenie. „Moment, ale taką decyzję musi podjąć moja mama" – zastrzegłam. Kiedy do niej zadzwoniłam, poprosiła, żeby przywieźć ubranie do domu. „Mamo – powiedziałam – zlituj się, przecież ja stąd dzisiaj nie wyjdę". Po krótkiej rozmowie uległa: „Dobrze, dziecko, to zostaw im to wszystko". Tłumaczka wzięła mnie na bok i poprosiła, bym podpisała zgodę. Miałam wrażenie, że wstyd jej za to, co mnie spotyka. Nie wiedziałam, co zrobić. Mam wziąć ze sobą śmierdzącą benzyną reklamówkę błota z postrzępionymi kawałkami spodni i marynarki? I co powiem mamie: „Spójrz, tyle po nim zostało?!" – myślałam. Nie byłam w stanie sobie tego wyobrazić. Podpisałam zgodę.

I w ten sposób doszło do zniszczenia dowodów.

Nie przyszło mi wtedy do głowy, że to coś więcej niż nieszczęśliwy wypadek. Zachowałam się jak córka. Powinnam była zareagować jak prawnik.

Wróćmy do przesłuchania.

Moja rosyjska „opiekunka" powiedziała, że powinnam oddać krew. „Nie ma mowy" – zaprotestowałam, choć wcześniej się na to zgodziłam. „Nie będzie krwi, nie będzie ojca! Nie dostaniesz aktu zgonu!" – zagroziła. Byłam w szoku, bo jej słowa zabrzmiały jak szantaż. Po chwili zreflektowała się: „Małgorzata, zrozum, takie mamy procedury. Proszę, nie utrudniaj nam pracy". Nie było sensu dalej się sprzeciwiać.

Daria wciąż nie dawała mi spokoju. Nie miałam sumienia dłużej ich trzymać. „Okej – powiedziałam – jedźcie do hotelu, jakoś sobie poradzę". Rosjanka zadeklarowała, że mnie odwiezie. Grzecznie odmówiłam i wysłałam SMS do pracownika ambasady. Do dziś mam w komórce jego odpowiedź: „Już jadę".

Daria Wassermann:

Po wyjściu z kostnicy zaprowadzili nas do auli na parterze. Małgosia miała tam czekać, ale nie było jej bardzo długo. Podeszliśmy do ministra Arabskiego i poskarżyliśmy się, że nie wiemy, co się z nią dzieje. Minister sprawiał wrażenie niezorientowanego. Ewa Kopacz zapytała nas, czy mamy jakieś rzeczy osobiste do trumny. Mieliśmy różaniec teścia oraz rzeczy od rodziny Aleksandra Szczygły. Powiedziała, że wprawdzie procedury tego zabraniają, ale ona dopilnuje, by znalazły się w trumnach. W hallu poczęstowała mnie papierosem. Narzekała, że Rosjanie nie chcą ubierać zwłok. Kiedy jest problem, to mówi im, że „tak chciał premier Putin", i wtedy stają na baczność. Podziękowaliśmy jej za dobre przyjęcie i szybką identyfikację. „My tutaj sobie rozmawiamy – powiedziała – a byłoby dobrze, żebyście umieścili dla mnie w Internecie jakieś podziękowanie. Bo wrócimy do Polski i będą mieć do mnie o wszystko pretensje". Byłam w szoku. Nie takich słów się spodziewałam.

***

Minister zdrowia Ewa Kopacz
na posiedzeniu sejmu 19 stycznia 2011 roku:

[…] nad tymi zwłokami, ostatnią rzeczą, o której się myślało, to był PR i polityka. Jeśli dzisiaj ktokolwiek zarzuca urządzanie PR-u z powodu tej tragedii, jest po prostu szubrawcem i nie boję się tego słowa.

Akt zgonu był już w pani rękach.

Trzymałam go jak skarb.

Ruszyłyśmy do windy. Rosjanka znowu mnie objęła. „Małgorzata, złościsz się na mnie, a moja mama ma białaczkę i jest umierająca" – powiedziała. „Nie doceniasz tego, że jestem przy tobie. Jedyną nadzieją jest pewien znachor. Będziesz się śmiała, bo pewnie w to nie wierzysz, ale on ma nadprzyrodzone zdolności. Uzdrowił już wiele osób".

Po ludzku zrobiło mi się głupio. Powiedziałam, że broń Boże, wcale się nie śmieję, bo sama leczę się ziołami. I wtedy jej oczy jakby się zapaliły. „Małgorzata, proszę cię, zostań. Nie leć do Warszawy. My cię tutaj wyleczymy! Wszystko zorganizujemy i będziesz zdrowa".

Wiedziała o pani dolegliwościach?

Nie wyglądało to na przypadek. Musiała wiedzieć. Leczyłam się od kilku lat.

Kiedy winda zjechała na dół, spróbowała jeszcze raz. „I jak? Zostajesz?" – zapytała. „Nie, dziękuję. Wracam do Polski. A pani gratuluję i jednocześnie współczuję". Dałam jej do zrozumienia, że wszystkiego się domyślam. Odwróciłam się na pięcie i wyszłam z Instytutu.

Była prawie północ.

Pracownik ambasady, który czekał na parkingu, nie mógł uwierzyć, że mnie wypuścili. Powiedział, że rozmawiał przez telefon z Rosjanką. Jej zdaniem nie było szans, aby czynności z moim udziałem skończyli jeszcze tego wieczoru.

Kim ona mogła być?

Gdy wracaliśmy samolotem, rozmawiałam o tym z naszą panią psycholog. Wyrzuciłam z siebie cały żal, narzekając na brak profesjonalizmu Rosjan. Uśmiechnęła się i powiedziała: „W pani przesłuchaniu nie było nic nieprofesjonalnego ani przypadkowego". Już w Instytucie zauważyła, że traktują nas niestandardowo, inaczej niż pozostałe rodziny. Samo pojawienie się przy nas tej kobiety wydało jej się dziwne.

Rosjanka nie była zwykłą tłumaczką. Mogła być funkcjonariuszką albo agentką rosyjskich służb.

Ta historia o ojcu, matce i znachorze to mógł być przypadek.

Przypadków było za dużo. Kiedy Daria i Mateusz zeszli do kostnicy, aby dokonać identyfikacji, pojawił się tam jakiś mężczyzna i na głos powiedział: „Ja chaciu doć Wasiermana" („Chcę córkę Wassermanna").

Była pani córką ministra. Może Rosjanie przydzielili pani specjalną osobę do pomocy?

Na kilkadziesiąt rodzin tylko w moim przypadku przesłuchanie rozpoczęło się już po identyfikacji. I trwało jakieś 5–6 godzin. Przecież my nie polecieliśmy do Moskwy składać zeznań, tylko rozpoznać najbliższych. Rosjanie byli perfekcyjnie przygotowani. Dysponowali pełnym dossier naszej rodziny.

Po co mieliby nad panią pracować?

Nie sądzę, aby liczyli na to, że im coś tego dnia powiem. Raczej obserwowali pod kątem nawiązania późniejszego kontaktu. Może chcieli bliżej mnie poznać i sprawdzić, jak się zachowuję? Z pewnością mieli nadzieję, że nie zdążę na poranny samolot. Jej propozycja, bym została w Moskwie, wyglądała na rozpaczliwą. Gdybym wyraziła zgodę, dałoby im to szansę na przedłużenie wzajemnych relacji.

A jednak pani stamtąd wyszła.

Być może przestraszyli się mojej ostrej reakcji. Rosjanka była świadkiem, jak naskoczyłam na prokuratora. W pewnym momencie zaczęłam krzyczeć: „Chłopie, jeśli zaraz stąd nie wyjdę, zrobię taki dym, jakiego jeszcze nie widziałeś. Rozumiesz mnie, czy potrzebujesz tłumacza?". On powtarzał tylko „da, da". Dlatego udało mi się wyjść o północy.

I niech pani Kopacz i pan Arabski nie mówią, że coś w Moskwie dla mnie zrobili. Zostałam sama, zdana tylko na siebie, bez niczyjej pomocy. Niech nie opowiadają, że byli w szoku. A ja nie byłam?

„Zabili nie tylko dziewięćdziesiąt sześć osób, zabili także ich rodziny"

Do Polski wróciła pani 14 kwietnia.

To była środa. Po wylądowaniu na Okęciu stworzyłam notatkę dla rodzin, które miały lecieć do Moskwy. Taki miniporadnik. Napisałam, że rodziny powinny mieć z sobą fotografie zmarłej osoby, a nawet zdjęcia rentgenowskie. Informowałam też, o co mogą pytać Rosjanie.

Ktoś z niej skorzystał?

Nie wiem. Prosili mnie o to pracownicy ambasady w Moskwie. Gdy spytałam, dlaczego nie zrobią tego sami, dali do zrozumienia, że jeśli minister Arabski tego nie zlecił, to nie wypada im wychodzić przed szereg.

Kiedy dowiedziała się pani o przylocie trumny?

Tuż po moim powrocie do Krakowa dostaliśmy wiadomość, że trumna niebawem będzie w Polsce. Zdecydowaliśmy, że po tatę pojadą siostra z bratem. W całej tej tragedii czuliśmy ulgę, że jego ciało jest już w kraju i będzie można je pochować. Nie wszystkie rodziny miały tyle szczęścia.

Mama została w domu.

Nie chcieliśmy, żeby jechała. Bardzo się o nią baliśmy. Mama była naprawdę w bardzo złym stanie psychicznym i fizycznym. Nie mogła spać ani jeść. Przy nas, a szczególnie przy wnuczkach, starała się trzymać, ale widzieliśmy jej zapuchnięte oczy i bardzo bladą twarz. Najbardziej zagubione były moje siostrzenica i bratanica.

Ile miały lat?

Asia osiem, a Maja pięć.

Dziewczynki nagle słyszą, że wydarzyła się katastrofa, spadł samolot, a ukochany dziadziuś nie żyje. Wokół wszyscy płaczą, panuje ogromne zdenerwowanie, a w całym domu jest wyczuwalne napięcie. Nie było łatwo wytłumaczyć dzieciom, co się stało, a jeszcze trudniej było „przerobić" z nimi całą tę sytuację, by mogły dalej normalnie żyć. Mama patrzyła na wnuczki i mówiła: „Oni zabili nie tylko dziewięćdziesiąt sześć osób. Zabili także ich rodziny". Siostra i brat byli strasznie przygnębieni. Sama byłam w trochę lepszym położeniu, bo częściej wychodziłam z domu. Musiałam pozałatwiać parę rzeczy, zająć się pogrzebem i ogarnąć sprawy kancelarii.

Dziesięć dni po katastrofie odbył się pogrzeb.

Mama była bardzo dzielna. Wiedziała, że nie może wpaść w histerię, a jedyną realną pomocą dla ojca jest modlitwa. Podczas mszy w kościele Mariackim nie mogłam usiedzieć na miejscu. Musiałam wstawać, witać gości. Jednych kierowałam do przodu, innych do tyłu. Przez całą drogę z Rynku na cmentarz na Bielanach ludzie rzucali kwiaty pod koła samochodu.

Kondolencje odbieraliśmy przez 2 godziny. Złożył je nam także wiceszef ABW Jacek Mąka. Powiedział coś w stylu: „Pamiętajcie, że zawsze będziemy z wami". Odpowiedziałam: „Mam nadzieję, że nie dosłownie". Gorzko się uśmiechnęłam, gdy zobaczyłam mężczyznę, który trzymał transparent: „Mamy nadzieję, że spuściznę po Zbigniewie Wassermannie przejmie Zbigniew Ziobro".

Długo trwała huśtawka nastrojów?

Przez pierwsze dni odczuwałam ogromny, wręcz fizyczny ból w sercu. Powtarzałam sobie: „Tata nie żyje, tata nie żyje". W uszach miałam dwa zdania: „Nie żyje prezydent Lech Kaczyński. Nie żyje pierwsza dama". Przed oczami, na czarnej telewizyjnej planszy, przewijała mi się lista dziewięćdziesięciu sześciu ofiar.

W Moskwie było mi wszystko jedno. Miałam czarne myśli, że spotkam się z ojcem szybciej, niż mi się wydaje. To były skrajne emocje. Płacz, odrętwienie, a jeszcze później ataki śmiechu. Czwartego i piątego dnia już nie płakałam, tylko chodziłam zobojętniała. Czułam się z tego powodu winna.

Uroczystości pogrzebowe, Rynek Główny w Krakowie, 20 kwietnia 2010 roku
(fot. archiwum rodzinne)

W takich momentach mózg sam się reguluje. Człowiek nie wytrzymałby
takiego bólu. Potrafię zrozumieć Małgorzatę Szmajdzińską, która tuż po
katastrofie udzieliła wywiadu i była w nim tak zaskakująco radosna
i uśmiechnięta. Niektórzy byli oburzeni, nazywając ją „wesołą wdówką",
lecz była to naturalna reakcja psychologiczna.

Miała pani pretensje do Boga?

Nigdy nie zakwestionowałam tego, co się stało. Nie zbuntowałam się.
Przecież przez całe życie mówiłam „bądź wola Twoja". Rozmawiałam o tym
ze znajomym księdzem. Stwierdził, że moje zachowanie nie jest do końca
normalne, a gniew byłby czymś naturalnym. Powiedziałam, że gdybym teraz zachwiała fundamentami swojej wiary, nie byłabym w stanie dalej żyć.
Zresztą mój bunt i tak niczego by nie zmienił. Nie zwróciłby mi taty.

Modliłam się do Boga, żeby mi pomógł. Szukałam w tym wszystkim jakiegoś sensu. Chciałam odnaleźć radość życia. Potrzebowałam kilku miesięcy, aby przyswoić sobie, że ojca już z nami nie ma. Minęło dużo czasu, kiedy znowu zaczęło mi zależeć na życiu.

Wróciła normalność?

Nie do końca. Gdy po jakimś czasie myślałam, że jest lepiej, nadszedł kryzys. Zaraz po katastrofie miałam zupełną blokadę, nie mogłam sobie przypomnieć scen z dzieciństwa. To było okropne. Najpierw straciłam ojca, a potem wspomnienia o nim. Kiedy pamięć wróciła, całą tragedię zaczęłam przeżywać od początku.

Dopiero po roku udało mi się w miarę normalnie funkcjonować. Niby wszystko toczy się dalej, ale jest inaczej. To inna normalność. Nie ma w niej taty. Przyzwyczailiśmy się, że na wakacje zamiast z tatą wyjeżdżamy z jego fotografią. W Wigilię na stole zamiast dla zbłąkanego wędrowca mamy teraz nakrycie dla taty.

Chciałam, by ojciec przyśnił się mamie, bo tego pragnęła. Najpierw jednak przyśnił się mnie. Rozmawiałam z nim przez telefon. „Idź szybko do mamy" – mówiłam. Odpowiedział, że przecież cały czas jest przy niej.

Niektóre rodziny bały się oglądać telewizję. Nie chciały wracać do obrazów z 10 kwietnia. Wy też?

Z nami było inaczej. Oglądaliśmy prawie wszystko. Słuchaliśmy, co o katastrofie mają do powiedzenia eksperci, piloci, przedstawiciele rządu. Chcieliśmy się dowiedzieć, dlaczego do niej doszło. Dlaczego nasz ojciec musiał zginąć.

„Wyglądało, jakby ojciec wyszedł tylko na chwilę"

Rozmawiałam z krewnymi ofiar, którzy próbowali się z nimi kontaktować chwilę po katastrofie. Usłyszeli, że abonent jest poza zasięgiem. Część odsłuchała wiadomość po polsku, inni w języku rosyjskim. Sama nie dzwoniłam na telefon ojca, ale zrobiła to siostra. Agata usłyszała komunikat po rosyjsku, że abonent jest niedostępny.

Wsiadając do samolotu, ojciec wyłączał telefon?

Zawsze. Na pewno zrobił to również 10 kwietnia.

Jeśli ojciec wyłączył telefon, siostra powinna usłyszeć komunikat po polsku.

Nie wiem, nie znam się na tym. Siostra usłyszała słowa po rosyjsku, a to oznacza, że telefon mógł się zalogować do stacji bazowej na terenie Rosji. Komórka mogła też zostać znaleziona i włączona już po katastrofie przez jednego z Rosjan. To wydaje się jednak mało prawdopodobne, bo znalazca musiałby znać kod PIN. Chyba że ojciec zdążył jeszcze sam włączyć telefon.

Co na to prokuratura?

Złożyłam wniosek w tej sprawie. Ojciec na pewno wylogował się w Polsce. Nie mam odpowiedzi, kiedy i o której zalogował się w Rosji. Siostra dzwoniła 10–15 minut po informacji o katastrofie. Możliwe, że część pasażerów zaczęła włączać telefony tuż przed lądowaniem. Może dostali infor-

Bill Gertz,
„Washington Times", 13 maja 2010 roku*:

Najbardziej znaczące jest to, że Rosjanie prawdopodobnie uzyskali ultratajne kody używane przez armie NATO
do komunikacji satelitarnej. Jeśli rosyjskie służby specjalne były w stanie odzyskać karty kodowe telefonów
satelitarnych, będą w stanie rozkodować teraz całą na-
towską komunikację sprzed katastrofy [...]. To przełom
dla rosyjskich służb. [...] Niemal na pewno natychmiast
po katastrofie wydano wojskom państw NATO nowe
kody.

* * *

Pułkownik Krzysztof Dusza,
dyrektor gabinetu szefa Służby Kontrwywiadu
Wojskowego**:

Na pokładzie TU-154M, który rozbił się pod Smoleńskiem, był zwykły telefon satelitarny; nie było tam tajnych kodów, urządzeń ani materiałów kryptograficznych.

---

* (http://www.washingtontimes.com/news/2010/may/13/inside-
-the-ring-86422687/).
** (http://www.tvn24.pl/wiadomosci-z-kraju,3/tajne-kody-
nie-zwykly-telefon-satelitarny,134032.html).

mację, że muszą wylądować na lotnisku zastępczym albo coś zobaczyli? Myślę, że to mogło trwać 8, 10, 12 sekund. To był ten czas świadomości pasażerów, że dzieje się coś dramatycznego, a oni już się nie uratują.

Czy przez taki czas można było się zalogować do sieci?

Wszystko zależy od opanowania.

Wie pani, na którym fotelu w samolocie siedział ojciec?

Nie. Prokuratura do dzisiaj nie zdołała odtworzyć mapy miejsc, jakie pasażerowie zajęli o siódmej rano na lotnisku Okęcie.

Ojciec na lotnisko wyruszył z mieszkania, które wynajmował w okolicach sejmu.

Byłam tam już po katastrofie. Wyglądało, jakby ojciec wyszedł tylko na chwilę. Na stole w kuchni leżało niedokończone śniadanie, a w pokoju modlitewnik otwarty na piątkowych czytaniach.

Ojciec nie życzył sobie, by grzebać mu w papierach, ale zostawił po sobie tysiące dokumentów. Musiałyśmy wszystkie przejrzeć i zdecydować, czy idą do spalenia.

Kiedy przyjeżdżałam do Warszawy, zawsze u niego nocowałam. Czułam się tam bezpiecznie. Ostatnią noc przed oddaniem kluczy spędziłam w tym mieszkaniu sama. To był koszmar.

Do tego mieszkania weszła Agencja Bezpieczeństwa Wewnętrznego?

Jedenastego lub dwunastego kwietnia zadzwonił do mnie jeden z posłów, który powiedział, że mieszkanie ojca przeszukała ABW. Byłam zaskoczona. Oficer, z którym rozmawiał Mateusz Bochacik, oświadczył, że tego nie potwierdza, ani temu nie zaprzecza. Zadzwonił do mnie ówczesny minister sprawiedliwości Krzysztof Kwiatkowski, który pytał o to szefa ABW Krzysztofa Bondaryka. Ten wszystkiemu zaprzeczył. Powiedziałam ministrowi: „Jeśli pan daje słowo, że tak było, temat uważam za zamknięty".

Coś zniknęło z mieszkania?

Nie. Wiem jednak, że gdy służby wchodzą operacyjnie, to nie po to, by coś zabrać, lecz po to, żeby coś skopiować. Najbardziej bałam się, że mogą coś podrzucić.

Były ślady włamania?

Nie jestem w stanie tego potwierdzić. Drzwi wejściowe już wcześniej były w kiepskim stanie. Ewentualne odwiedziny mogły mieć inny cel: zdjęcie podsłuchu. To jednak tylko domysły. W pewnym momencie odpuściłam temat, bo zdałam sobie sprawę, że nie ma szans na weryfikację. Na drzwiach nie było plomb, więc niczego nikomu nie udowodnię. Takie wejście byłoby przecież działaniem nielegalnym. W tamtym czasie większość potwierdzonych wejść ABW to były wizyty po tak zwany materiał genetyczny, czyli szczoteczki do zębów i inne przedmioty osobiste należące do ofiar katastrofy.

Część druga

„Nie było wielką sztuką nie być świnią"

Dlaczego ojciec wybrał prawo na Uniwersytecie Jagiellońskim?

Żartował, że przez matematykę. Rzeczywiście nie był dobry z przedmiotów ścisłych, w liceum miał nawet poprawkę z fizyki. Myślę jednak, że tak naprawdę zdecydowało jego silne poczucie sprawiedliwości w czasach, kiedy wokół jej tak bardzo brakowało.

Na jednym roku było trzech przyszłych ministrów.

Razem z ojcem studiowali Jerzy Jaskiernia i Zbigniew Ćwiąkalski, późniejsi ministrowie sprawiedliwości. Tata skończył studia w 1972 roku i od razu poszedł do prokuratury. Po kolei był zatrudniony w Chrzanowie, Jaworznie i Brzesku. Etat w Krakowie dostał w 1984 roku. Do 1989 był szefem Prokuratury Rejonowej Kraków-Krowodrza.

Dlaczego w stanie wojennym nie odszedł z prokuratury?

Był bliski odejścia, ale powstrzymała go mama. „Jeśli odejdziesz, to kto będzie prowadził uczciwe śledztwa?" – tłumaczyła. Prokuratorska pensja nie była wysoka, mama jako informatyk i magister ekonomii też nie zarabiała wiele. Nasza sytuacja byłaby lepsza, gdyby ojciec zapisał się do PZPR. W latach osiemdziesiątych prokuratorów już nie szantażowano, ale przekupywano. Cały czas go kuszono. „Zbyszek – naciskali działacze – jak się zapiszesz, dostaniesz przydział na mieszkanie i samochód". Ojciec nigdy się nie ugiął.

Maciej Gawlikowski,
w artykule *Wassermann jak czołg* Igora Janke,
„Rzeczpospolita", 30 stycznia 2010 roku:

Już pod koniec komuny była sprawa o napaść na puł-
kowników LWP podczas protestów w sprawie studium
wojskowego. Po przemarszu pod budynek studium na
UJ wywiązała się przepychanka. Płk Raduchowski doskoczył do mnie, aby udaremnić mi pisanie sprayem
i wylądował na ziemi. Sprawę dostał Wassermann.
Zachował się bardzo porządnie. Wykręcił się bardzo
szybko, akt oskarżenia pisał już ktoś inny. Nie zrobił
żadnego świństwa.

* * *

Paweł Chojnacki,
list do „Rzeczpospolitej", 13 lutego 2010 roku:

Moje osobiste wspomnienie kontaktu z Wasserman-
nem rodzi odmienne refleksje dotyczące jego postawy
i walorów moralnych niż te, którymi postanowili podzielić się Bartłomiej Sienkiewicz oraz – nie wiedzieć
czemu – Maciej Gawlikowski. Było to spotkanie sku-
tego w kajdanki, dosłownie porwanego przez milicję
z ulicy (funkcjonariusze się skarżyli, że wskazała mnie
im Wojskowa Służba Wewnętrzna), 20-letniego uczest-
nika Ruchu Wolność i Pokój oraz studenta UJ z sie-
dzącym za biurkiem doświadczonym prokuratorem,
dyspozycyjnym przedstawicielem aparatu represji ko-
munistycznego reżimu.

Po 1989 roku musiał się jednak zmierzyć z przeszłością i z zarzutem, że był „komunistycznym prokuratorem".

W latach siedemdziesiątych i osiemdziesiątych w prokuraturze nie było tak ciężko jak w latach pięćdziesiątych czy sześćdziesiątych. Nie było aż tak wielką sztuką nie być świnią, a jednocześnie utrzymać się w zawodzie. Ojciec był młodym prokuratorem, a takim nie dawano ważnych spraw. Procesy polityczne prowadzili zazwyczaj partyjni.

Jak wyglądała sprawa Bartłomieja Sienkiewicza?

Ojciec sam nigdy nie wracał do tej historii. Aż do 2001 roku, gdy trzy miesiące po tym, jak został wybrany na posła Prawa i Sprawiedliwości, dziennikarze zaczęli prześwietlać jego życiorys. To wtedy po raz pierwszy usłyszałam o sprawie Sienkiewicza. W latach osiemdziesiątych władza chciała postawić mu zarzuty w trybie doraźnym, obowiązującym w stanie wojennym. Kiedy ojciec dostał sprawę, doprowadził do jej „oddoraźnienia", zwolnił Sienkiewicza z sankcji i wypuścił na wolność. Ostatecznie umorzył postępowanie ze względu na znikomą szkodliwość społeczną. Ojca atakowano za to, co robił w PRL, ale sam Sienkiewicz mówił o nim dobrze. W książce *Czterech* Grzegorza Chlasty powiedział, że ojciec ryzykował o wiele więcej niż on sam.

Źle o zachowaniu ojca mówił Paweł Chojnacki. Jesienią 1988 roku, kiedy studenci zorganizowali pikietę Studium Wojskowego UJ, Chojnacki został uderzony w twarz przez pułkownika Migdała i w szarpaninie urwał oficerowi guzik. Milicja zatrzymała Chojnackiego i doprowadziła przed oblicze prokuratora Wassermanna. Studentom (drugim był Przemysław Markiewicz) zostały postawione zarzuty „czynnej napaści" oraz „użycia przemocy".

Pytała pani o tę sprawę?

Ojciec prowadził wtedy jedynie czynności przygotowawcze. Przesłuchiwał podejrzanych, ale żadnego nie oskarżał. I to dzięki niemu ich wtedy nie aresztowano. Ojciec zmienił kwalifikację z czynnej napaści na lżejszy zarzut naruszenia nietykalności. Nic więcej nie mógł zrobić, bo dostał tak zwanego plastra, który pilnował go w śledztwie. To właśnie ten nadzorujący ojca partyjny prokurator rozpoznał na zdjęciach plecak studentów i spowodował, że nie można było tej sprawy umorzyć.

Kiedy ojciec był już ministrem, jeden z tych studentów zatrzymał go przed wejściem do kościoła w Krakowie. Wyrzucał mu, że mógł mu zniszczyć karierę.

Ojciec był rozgoryczony?

Każdemu byłoby przykro. Zwłaszcza że ojciec miał dobre intencje i chciał pomóc obu studentom. Niestety oni odczytali to inaczej.

Tata nie użalał się nad sobą. Powtarzał, że gdyby brał pod uwagę własny interes, to w latach osiemdziesiątych mógł odejść z prokuratury i zarabiać duże pieniądze jako adwokat, by później w glorii chwały wrócić do zawodu po 1989 roku. Tego jednak nie zrobił. Wolał pomagać ludziom, którzy byli krzywdzeni przez władze.

„Byliśmy pewni, że jeden Zbyszek wskoczy za drugim Zbyszkiem w ogień"

W roku 1990 Krzysztof Kozłowski zaproponował ojcu stanowisko szefa Delegatury Urzędu Ochrony Państwa w Krakowie. Ojciec zastanawiał się nad propozycją, ale doszedł do wniosku, że w służbach coś jest nie tak, i odmówił.

W prokuraturze pracowało się lepiej?

Ojciec podjął większą walkę niż wcześniej. Był stosunkowo młodym prokuratorem i nie miał żadnego wsparcia. Zaczął zajmować się sprawami z przeszłości. Nabawił się wtedy wirusowego zapalenia wątroby i kilka miesięcy spędził w szpitalu.

Później nadzorował śledztwo w sprawie śmierci Stanisława Pyjasa, ale aktami sprawy dysponował Urząd Ochrony Państwa. Kiedy zwrócił się do Stanisława Iwanickiego, ministra sprawiedliwości, z prośbą o interwencję, usłyszał: „Ty sobie zapamiętaj, my naprawiacze w prokuraturze nie potrzebujemy". Tata zwołał konferencję, na której opowiedział o kulisach postępowania. Zapłacił za to dyscyplinarką. Ciążyły na nim zarzuty ujawnienia tajemnicy państwowej. Ostatecznie sprawę umorzono.

O konflikcie z Iwanickim opowiedział, dopiero gdy ten po raz drugi przejmował Ministerstwo po Lechu Kaczyńskim w 2001 roku. Premier Buzek zablokował nominację ojca na prokuratora krajowego, był więc do końca jedynie pełniącym obowiązki.

Lech Kaczyński i Zbigniew Wassermann (fot. archiwum rodzinne)

Jak został najbliższym współpracownikiem Lecha Kaczyńskiego?

Kiedy Lech Kaczyński objął w 2000 roku resort sprawiedliwości, postanowił ściągnąć do siebie najlepszych prokuratorów. Prawdopodobnie to Zbigniew Ziobro polecił mu ojca jako bezkompromisowego prokuratora, który nigdy nie wstąpił do PZPR. Po telefonie z Warszawy było szybkie spotkanie i konkretna propozycja.

Wkrótce ojciec mógł się Ziobrze zrewanżować.

Minister Kaczyński chciał zrobić ojca wiceministrem, lecz nie zgodził się na to premier Buzek. Pojawiła się kandydatura Ziobry. Kaczyński nie był do końca przekonany, wolał kogoś z większym doświadczeniem. Ojciec poparł Ziobrę, argumentując, że jest młody, ale ofiarny i da sobie radę. W tamtym czasie Ziobro był częstym gościem w naszym domu przy ulicy Żytniej. Tata traktował go jak przyjaciela. Byliśmy pewni, że jeden Zbyszek wskoczy za drugim Zbyszkiem w ogień.

Jak wyglądały relacje z Lechem Kaczyńskim?

Ojciec był nim zafascynowany. Powtarzał, że takiego ministra jeszcze w Polsce nie było. Tata był przyzwyczajony, że o każdą trudną sprawę trzeba było toczyć bój z przełożonymi, zwłaszcza jeśli dotyczyła ważnej i wpływowej postaci. A Kaczyński kupił go jednym zdaniem: „Jeśli jest podejrzenie przestępstwa, masz ścigać każdego, nieważne, czy jest z lewicy, czy prawicy".

Podobno ojciec był tak pryncypialny, że jako prokurator potrafił ścigać ucznia za brzydki napis na ławce.

Ojciec został przez część środowiska uznany za czarną owcę. Niektórzy koledzy nie mogli mu zapomnieć rozpracowania sprawy handlu dziećmi, za którą żaden z nich nie miał odwagi się wziąć. W apelacji to on zajmował się ściganiem sędziów i prokuratorów. Trudno w takiej sytuacji nie mieć wrogów.

Jak to się stało, że wszedł do polityki?

Po dymisji Lecha Kaczyńskiego jego następca Stanisław Iwanicki przeniósł tatę do referatu skarg i wniosków. To tak jakby śledczego, który rozpracowuje zabójców, zrobić nagle posterunkowym. To było upokarzające. Tymczasem zbliżały się wybory w 2001 roku. Bracia Kaczyńscy stworzyli nową partię i zaproponowali tacie start z listy Prawa i Sprawiedliwości. Niespecjalnie się do tego palił.

Kto go namówił?

Mama miała w tym spory udział, a ja ją poparłam. Ojciec wiedział już, jak trudno samemu walczyć o ważne sprawy. Wiedział, że musi połączyć siły z myślącymi podobnie jak on. Takimi ludźmi byli bracia Kaczyńscy. Dzisiaj, z perspektywy Smoleńska, można mieć wątpliwości, czy był to słuszny wybór. Wtedy powiedziałam, że powinien spróbować, bo skoro z Lechem Kaczyńskim robią wartościowe rzeczy, to albo razem utoną, albo wygrają. W tym samym czasie tata dostał ofertę pracy jako prokurator w Instytucie Pamięci Narodowej, ale ją odrzucił.

W Prawie i Sprawiedliwości czekał już na niego Zbigniew Ziobro.

Ziobro miał obiecaną jedynkę na liście do sejmu z Krakowa. Wtedy do akcji wkroczył Lech Kaczyński. Był zdania, że skoro ojciec jest wolny, to on powinien poprowadzić listę PiS. Ale ojciec uznał, że byłoby to nie fair wobec młodszego kolegi. Stanęło na tym, że Ziobro wystartował z jedynki, a tata z dwójki.

To był również pani debiut w kampanii wyborczej.

Nie mieliśmy ani doświadczenia, ani pieniędzy. Nasza kampania to był raczej poryw serca niż precyzyjny plan. Największą naszą siłą była wiara w zmiany zainicjowane przez drużynę Kaczyńskich. Przyszły prezydent często gościł u nas w domu. Ojciec uważał go za przyjaciela.

Kiedy pojawiły się pierwsze krytyczne opinie pod adresem Zbigniewa Ziobry, tata zawsze go bronił. Mówił: „Jesteśmy jednym zespołem, a Zbyszek jest jeszcze młody".

Kiedy zorientowaliście się, że z tą grą w drużynie coś jest nie tak?

Do sztabu w Krakowie zaczęła wpadać moja siostra i stwierdziła, że coś nie gra. Ktoś usłyszał, że „stawiamy na Ziobrę, a Wassermann jest do odstrzału". Nie mogłam w to uwierzyć, przecież sama rozklejałam plakaty Ziobry. Pewnego dnia wziął mnie na bok jeden z członków sztabu: „Czy nie widzisz – powiedział – że ojciec nie ma szans? Wszyscy grają na innego". Ojciec był w trudnej sytuacji. Jako czynny prokurator wziął urlop, a w prokuraturze zdążyli mu już przykleić łatkę polityka. Do wyborów zostały trzy tygodnie, a my byliśmy jak dzieci we mgle. Dzięki grupie Bogusława Bo- saka i Jana Starzyka ruszyliśmy ostro do przodu. Mocno wzięliśmy się do pracy, powstała specjalna gazeta promująca ojca. I udało się!

Kontakty ze Zbigniewem Ziobro zostały zerwane?

Wtedy już rzadko z sobą rozmawialiśmy. Napięcie rosło z dnia na dzień. Ktoś zrywał nasze plakaty. Ktoś inny roznosił plotki, że jesteśmy żydami, bo przecież nasze nazwisko mówi samo za siebie. W naszym domu nie było nawet cienia ksenofobii, byliśmy więc zszokowani nieprawdziwą szeptanką uprawianą przez konkurencyjną ekipę.

Odpowiedzieliście na to?

Może to był polityczny błąd, ale z naszej strony nie było żadnego re- wanżu. Ojciec miał kręgosłup. Pewnych rzeczy – jak mówił – się nie robi, bo nie przystoi. Tymczasem Zbigniew Ziobro nie odpuszczał i rósł w siłę. Z miesiąca na miesiąc pozycja ojca w Krakowie stawała się coraz słabsza.

Zbigniew Ziobro, Lech Kaczyński i Zbigniew Wassermann na Rynku Głównym. W tle Małgorzata Wassermann (fot. archiwum rodzinne)

Nie miał ambicji przywódczych?

Nigdy nie marzył, by zostać liderem. Nie miał smykałki do zawierania politycznych kompromisów z każdym. Dla niego jak ktoś był nieuczciwy, to był nieuczciwy. I koniec.

Kiedy został posłem, pani pracowała w jego biurze.

To był dla mnie wspaniały czas. Wiele się nauczyłam. Z pomocą moich kolegów ze studiów udało się nam zorganizować darmowe porady prawne dla potrzebujących. Najwięcej czasu poświęciliśmy obronie lokatorów, których chciano sprzedać wraz z mieszkaniami zakładowymi. Ludzie z wielkimi pieniędzmi myśleli, że są nietykalni, prokuratura nie robiła prawie nic, a to był przecież czysty mechanizm przestępczy. W ich imieniu pisaliśmy zawiadomienia w trybie interwencji poselskich oraz przygotowywaliśmy interpelacje. Zgłaszali się do nas pokrzywdzeni z całej Polski. Stworzyliśmy nawet projekt ustawy, która trafiła do sejmu.

„Uważaj, bo u syna w plecaku mogą się znaleźć narkotyki"

Jak zmieniło się Wasze życie, gdy ojciec wszedł do komisji śledczej badającej aferę ORLENU?

Zaczęły się dziwne sytuacje. Ojciec dostał ostrzeżenie, że szykowane są wobec naszej rodziny jakieś prowokacje. Pewien mężczyzna ostrzegł go: „Uważaj, bo u syna w plecaku mogą się znaleźć narkotyki".

Kto i dlaczego miałby to robić?

Mafia paliwowa to nie był mit. Każdy, kto się nią zajmował, musiał się liczyć z reakcją. Na ojca nic nie mieli, więc nie mogli go szantażować. Powiedział nam wtedy, że mu grożono i powinniśmy się pilnować.

Podał szczegóły?

Jak zawsze był niezwykle oszczędny w słowach.

Praca w komisji orlenowskiej bardzo go wciągnęła. Kiedy wyjechał do Niemiec na przesłuchanie Andrzeja Czyżewskiego, wracałam sama do domu. Wtedy już nie mieszkałam z rodzicami. Gdy weszłam do klatki, wpadł jakiś mężczyzna i zaczął za mną iść. Była północ. Zdałam sobie sprawę, że nie zdążę otworzyć swojego mieszkania. Stanęłam obok, przy drzwiach sąsiadki, i z duszą na ramieniu nacisnęłam dzwonek. Nikt nie odpowiadał. Mężczyzna, zaskoczony, że nie stoję przy własnych drzwiach, ruszył w górę. Kiedy był piętro wyżej, szybko wyjęłam klucz, otworzyłam mieszkanie i zatrzasnęłam drzwi. Zbiegł na dół, ale było już za późno. Postał chwilę i odszedł. Spanikowana zadzwoniłam do kolegi. Po przyjeździe zrobił obchód, ale nikogo już nie było. Dostałam ochronę. Chodzili za mną przez tydzień, było to jednak tak uciążliwe, że zrezygnowałam. Ze dwa razy pojawili się jeszcze przed blokiem faceci niewyglądający na dżentelmenów. Ostentacyjnie patrzyli mi w oczy, tak jakby chcieli przekazać jakiś sygnał. Nie mnie, lecz ojcu. „Na razie nie chcemy zrobić córce krzywdy, ale pamiętaj, że jesteś obserwowany".

Jaka była reakcja ojca?

Powiedział, żebym nie przesadzała. Tyle razy mu już grożono, ale on nie okazywał żadnego przerażenia.

Nie bał się o panią?

Na pewno w duchu bardzo się niepokoił, lecz starał się tego nie okazywać. Pewnie żebym nie wpadła w histerię.

W komisji, w której byli także Roman Giertych czy Konstanty Miodowicz, ojciec należał do najaktywniejszych. Małym skandalem skończyło się przesłuchanie Jolanty Kwaśniewskiej. Ojciec jako jedyny zwracał się do niej per „pani świadek".

Tata nie miał w zwyczaju nikogo upokarzać. Dla niego wszyscy powinni być równi wobec prawa, dlatego pani Jolanta Kwaśniewska była przez niego traktowana jak każda inna przesłuchiwana osoba.

Zbigniew Wassermann, Antoni Macierewicz i Józef Gruszka podczas posiedzenia komisji do spraw Orlenu, 2004 roku (fot. archiwum rodzinne)

Posiedzenie Komisji Śledczej w sprawie PKN Orlen,
25 czerwca 2005 roku:

Poseł Zbigniew Wassermann:
Rozumiem, że odpowiedź brzmi: nie wiem, co się dzieje w mojej agencji, tak?

Pani Jolanta Kwaśniewska:
Panie pośle, ja pana bardzo serdecznie proszę…

Poseł Zbigniew Wassermann:
Ja też proszę…

Pani Jolanta Kwaśniewska:
Panie pośle, odpowiedziałam: w tej kwestii nie mam wiedzy, kto kupuje, na jakiej zasadzie, jakimi kwestiami w danym momencie zajmuje się agencja.

Poseł Andrzej Celiński:
[…] mamy do czynienia z nikczemnymi insynuacjami pana posła Wassermanna, które służą nie ustaleniu prawdy w sprawie Orlenu, ale służą podeptaniu godności głowy państwa i jego żony. Otóż ja mam jedno państwo, prezydenta jednego, żonę prezydenta też jedną i nie zamierzam dopuszczać do tego, żeby pan poseł Wassermann w sposób haniebny prowadził do podeptania godności najwyższego urzędu w moim państwie. To jest moje państwo i ja mam prawo go bronić.

Przewodniczący:
Troszkę się pan przejęzyczył, ale…

Poseł Zbigniew Wassermann:
Przepraszam, czy jest lekarz na sali?

Poseł Andrzej Celiński:
Albo kaftan, proszę pana, bo dla pana to już tylko kaftan.

Poseł Zbigniew Wassermann:
Spróbujmy zatem jeszcze raz.
Proszę świadka, czy świadek ma rodzinę w Szwajcarii?

Pani Jolanta Kwaśniewska:
Mam rodzinę w Szwajcarii mojego męża, moją szwagierkę.

Przeprosił ją jednak później na prośbę Lecha Kaczyńskiego w czasie ingresu kardynała Dziwisza.

Tata miał wielki respekt dla prezydenta, więc mu nie odmówił.

W 2007 roku, gdy doszło do samobójstwa Barbary Blidy, ojciec miał zostać marszałkiem sejmu, zastępując Marka Jurka.

Ojciec nie ukrywał, że inaczej wyobrażał sobie zakres kompetencji jako minister koordynator do spraw służb specjalnych. Większość instrumentów mieli w ręku minister sprawiedliwości Zbigniew Ziobro i szef ABW Bogdan Święczkowski. I w pewnych sprawach mogli ojca pomijać. W przypadku Barbary Blidy były prowadzone działania procesowe, a nie operacyjne. Ojciec o nich nie wiedział. Dlatego kiedy doszło do samobójstwa, Święczkowski nie zadzwonił do niego, tylko do Ziobry. Jednak to ojciec został poproszony o przedstawienie w sejmie stanowiska rządu w sprawie działań ABW. Wyszedł więc na mównicę, tłumacząc się z działań Ziobry. Chwilę później pojawił się na niej Ziobro, przekonując, że nic o sprawie nie wie. Media uczyniły tatę odpowiedzialnym za aresztowanie Barbary Blidy, podczas gdy on nie tylko nie decydował o akcji, lecz nawet nie miał o niej pojęcia. I tak skończył się temat marszałka.

„Przewodniczący Sekuła z premedytacją zaczął ojca dojeżdżać"

Ostatnia kadencja sejmowa ojca to praca w komisji śledczej badającej aferę hazardową, w którą byli zamieszani czołowi politycy PO.

To była bardzo ciężka praca i tylko najbliższa rodzina wiedziała, ile go naprawdę kosztowała. Ojciec starał się robić wszystko, by przesłuchania nie były prowadzone pod dyktando przewodniczącego komisji Mirosława Sekuły z Platformy.

W końcu to ojciec usiadł na krześle przesłuchiwanego.

Został zgłoszony na świadka. Zgodnie z przepisami do czasu złożenia zeznań musiał być wyłączony z innych prac komisji. Dlatego zależało mu, by jak najszybciej zeznawać. W roli świadka przeżył trwający wiele godzin maraton bezsensownych pytań. Bez żadnej przerwy. Tata miał cukrzycę, więc musiał co jakiś czas coś zjeść. Jakby tego było mało, w tamtych dniach zachorował jeszcze na półpasiec. Mimo tego stawił się przed komisją.

Próbowała go pani powstrzymać?

Cała rodzina próbowała. Prosiliśmy, żeby wziął L4 i przełożył przesłuchanie. Ale bez skutku. Na jedną z moich próśb tata odpowiedział: „Nie mogę zostawić komisji. Powiedzą, że się przestraszyłem. Beze mnie Sekuła zamiecie sprawę pod dywan". Niestety miał rację. Kiedy zginął w katastrofie, komisja bardzo szybko skończyła pracę i nie doszła do żadnych ważnych konkluzji.

Czy Sekuła mógł wiedzieć, że ojciec jest chory?

Nie mam co do tego wątpliwości. Tylko oni dwaj wiedzieli, co kryje się za tym przesłuchaniem. Przez kilkanaście godzin Sekuła nie ogłaszał przerwy, a ojciec świadomie o nią nie prosił, ponieważ nie chciał dawać satysfakcji przewodniczącemu. W tym czasie tata był w fazie odstawiania insuliny, a wtedy dochodzi do groźnych wahań poziomu cukru.

Kilka dni wcześniej pojechał do telewizji TVN24. Bardzo się o niego baliśmy, ale wszystko poszło dobrze. Wieczorem miał jeszcze występ u Bronisława Wildsteina w TVP. Tam był już dramat. Na wizji zaczął gwałtownie słabnąć, pot spływał mu strużkami po twarzy. Wildstein zobaczył, że dzieje się coś złego. Przestał zadawać mu pytania, a realizator pokazywał kadr z Sekułą. W tym czasie ktoś z ekipy podał ojcu cukier. Sekuła zorientował się, że tata ma problem, i z premedytacją cały czas zwracał się do niego. Mówiąc wprost, zaczął go dojeżdżać. Tata nie był w stanie się bronić.

Jak to wszystko przeżył?

Żałował, że odstawił insulinę i zmienił dietę cukrzycową. Złościł się na mnie, bo to ja go do tego namawiałam. „Chyba chcieliście mnie uziemić" – powiedział z przekąsem. Sęk w tym, że jego tempo życia nie pozwalało na zastosowanie nowej kuracji.

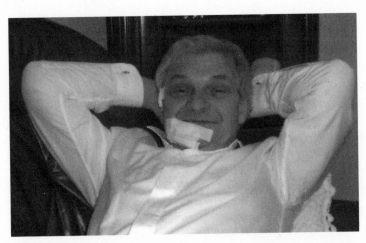

Zbigniew Wassermann po posiedzeniu komisji hazardowej, w okresie zmagań z półpaścem (fot. archiwum rodzinne)

**Bronisław Wildstein w rozmowie
z Piotrem Zarembą i Michałem Karnowskim,**
Niepokorny (Warszawa 2012):

Gdy wracam myślami do realizacji tego programu,
to jedna scena wraca do mnie często. [...] Wassermann był cukrzykiem, zaczął słabnąć w czasie programu. Podaliśmy mu cukier w filiżance do kawy. Po
audycji mówię do niego: „Strasznie panu dziękuję,
że pan dotrwał do końca". A Sekuła: „Dlaczego pan
mówi strasznie? Strasznie to dopiero będzie". To zostało nagrane i użyte w zwiastunie programu. A pa-
ręnaście dni później był 10 kwietnia 2010 roku.

Lekarze zawsze mieli z nim kłopot. W szpitalu nie rozstawał się z ko-
mórką, wciąż zaglądał do komputera, a na koniec pojechał do telewizji. Taki
był. Nigdy się nie oszczędzał. Gdyby nie komisja hazardowa, odszedłby
z sejmu już w marcu 2010 roku.

Chciał rzucić politykę?

Właściwie już zdecydował, że wraca do prokuratury, a to oznaczało re-
zygnację z mandatu. Został w sejmie tylko z powodu obowiązków w komisji. Musiał podjąć decyzję do września 2010 roku, inaczej straciłby uprawnienia prokuratora. Jestem przekonana, że gdyby żył, robiłby teraz to, co
naprawdę kochał.

„Na tej wojnie możesz tylko przegrać"

Jeden z przyjaciół ojca znalazł działkę na Bielanach i rodzice zdecydowali o budowie domu. Znajomy prawnik polecił zaufanego wykonawcę. Tata podpisał tak zwaną umowę pod klucz i ustalił kwotę do zapłaty. Spędzał całe tygodnie w Warszawie, był tak zabiegany, że nie miał czasu nadzorować prac. Poza tym – myślał – skoro wykonawca był polecony, nic złego stać się nie może. To był pierwszy błąd, bo niektórym trzeba codziennie patrzeć na ręce.

Nic się nie działo do chwili, gdy wykonawca zaczął mieć pretensje, że rodzice zalegają z wypłatą.

To była nieprawda. Właściciel firmy budowlanej przyjeżdżał do mamy i domagał się kolejnych zaliczek, za które miał kupować materiały. Oczywiście mama je dawała. To drugi błąd, bo dostawał pieniądze, zanim wykonał pracę.

Rodzice wprowadzili się w 2000 roku i zaczęły się kłopoty. Mama włącza żelazko i wysiada prąd. Jest cała masa usterek: dach przecieka, nie domykają się drzwi, ściany nie trzymają pionu, sufity poziomu. Rodzice zgłaszają to wykonawcy, ten przysyła swoich ludzi, coś tam grzebią, ale nic się nie zmienia. Wtedy jeden z robotników bierze ojca na stronę i ostrzega, by uważał, bo „mieszka na bombie". Rodzice wzywają biegłego elektryka i zlecają przegląd instalacji. Miesiąc przed zakończeniem prac wykonawca podnosi cenę o 100 tysięcy, bo – jak twierdzi – „źle się obliczył". Kiedy do zapłaty zostaje ostatnia rata w wysokości 37 tysięcy, ojciec stawia wykonawcy warunek: „Panie Januszu, jeśli biegły stwierdzi, że wszystko z instalacją w porządku, dostanie pan pieniądze". „To ja tych pieniędzy już nie zobaczę" – odpowiada wykonawca.

Sprawa wchodzi w nowy etap. Robotnicy pewne rzeczy naprawiają, inne uszkadzają. Kiedy ojciec pyta, dlaczego to robią, jeden mówi: „Bo pan nie płaci". „Jak to nie płacę?! Mogę pokazać pokwitowania". Okazało się, że to wykonawca nie wynagradzał robotników.

Zaczynają się ordynarne groźby. Wykonawca żąda natychmiastowej wypłaty, bo „nie z takimi sobie już radził". Grozi nam urzędem skarbowym. To było pudło, bo wszystkie dochody rodziców były legalne. Mama rozkręciła firmę i zarabiała tyle, że rodziców było stać na taką budowę. „Jeszcze się taki nie narodził, kto by ze mną wygrał. Jeszcze pan pożałuje!" – grozi ojcu budowlaniec.

Nie lepiej było dać mu te pieniądze, wyrzucić na zbity pysk i mieć święty spokój?

Biorąc pod uwagę medialną burzę, pewnie tak. Ale pan nie znał mojego ojca. Jemu nie chodziło o pieniądze. Nie mógł zaakceptować tego, że ktoś chce go bezwstydnie oszukać. Nigdy wcześniej czegoś podobnego nie doświadczył. Zdecydował, że nie ulegnie szantażowi.

Zbigniew Wassermann z żoną Haliną w nowym domu na krakowskich Bielanach (fot. archiwum rodzinne)

Wkrótce okazało się, że instalacja elektryczna nie jest uziemiona, również ta przeklęta wanna. Może więc porazić prądem i doprowadzić do nieszczęścia. Ojciec wzywa wykonawcę, by ją naprawił, bo strach tak mieszkać. Robotnicy znowu coś tam grzebią, ale nic się nie zmienia. Biegły elektryk radzi nam, by zawiadomić prokuraturę. Wykonawca nie tylko nic nie naprawia, ale w dodatku przedstawia fałszywy protokół odbioru.

I w tym momencie rozpoczyna się medialna komedia pod tytułem „Wanna Wassermanna", a z ojca śmieje się pół Polski.

Dla nas to wcale nie było śmieszne. W każdym momencie ktoś mógł stracić życie. Czy pan swoim dzieciom pozwoliłby się kąpać w takiej wannie? Tymczasem wykonawca wystawia kolejną fakturę, tym razem na 68 tysięcy. Prawie dwa razy więcej niż poprzednio. Podaje więc kwotę z sufitu.

Dochodzi do wojny.

Wypowiada ją wykonawca, zawiadamiając prasę, w tym „Gazetę Wyborczą". Do akcji wkracza teściowa wykonawcy, pani Gąsior. Rozsyła listy, gdzie tylko się da. Do prezesa TVP, marszałka sejmu i senatu, do braci Kaczyńskich. Z prostym przekazem: „Wassermann to oszust. Co więcej groził, że mnie pobije, a nawet zabije". Tej treści zawiadomienie trafia do prokuratury.

Zaczynają się pytania dziennikarzy. Ojciec cierpliwie tłumaczy, o co chodzi. Jego przekaz słabo przebija się do opinii publicznej. Powoli mamy tego dość. Przekonujemy ojca, żeby wyciszyć całą sprawę. „Racja jest po twojej stronie, ale na tej medialnej wojnie możesz tylko przegrać. Daj mu już te pieniądze!" Jednak ojciec stawia sprawę na ostrzu noża, bo nie zamierza tolerować draństwa!

Równolegle do wojny w mediach trwa batalia w prokuraturze i sądzie.

Prokuratura prowadzi postępowanie o groźby karalne ze strony ojca. Pani Gąsior zeznaje, że wprawdzie ojca nigdy nie widziała, ale jej groził. Postępowanie zostaje umorzone. Oni jednak oskarżają nas, że zostało skręcone dzięki znajomościom ojca. Pojawia się zapowiadany donos, że ojciec bierze łapówki i to z nich sfinansował budowę. Urząd skarbowy prześwietla nas na wylot. Nic nie znajduje.

Ojciec nie wytrzymuje i wnosi prywatny akt oskarżenia przeciw tej pani. Rozprawa odbywa się za zamkniętymi drzwiami. Rezygnujemy z pełnej jawności. Po pierwsze, chcieliśmy procesu, a nie medialnego show. Po drugie, ulegamy sugestii sędziego: „stoi pod salą sto osób i jak państwo sobie to wyobrażają?". Później żałowaliśmy tej decyzji.

To niesamowite, jak ta starsza pani kłamała. Jedno mówiła na rozprawie, a coś przeciwnego, gdy wychodziła do dziennikarzy. Przed sądem deklarowała, że nie chciała ojca pomówić, a chodziło tylko o zwrócenie uwagi na fatalną kondycję firm budowlanych. Gdy wypowiadała się dla mediów, już bez przysięgi, opowiadała o krzywdzie, jaka ją rzekomo spotkała.

Ojciec nie domagał się kary. Powiedział tylko, że pragnie, by dała mu święty spokój. Sąd warunkowo umorzył postępowanie, zasądził zapłacenie przez nią tysiąca złotych grzywny i nakazał przeproszenie ojca. Napisała jedno zdanie: „Przepraszam Pana". Kropka. Tak skończyła się historia biednej emerytki, z którą rzekomo walczył polityk wykorzystujący własne wpływy.

A co z instalacją?

Prokuratura nie tylko nam nie pomogła, ale wręcz utrudniła dochodzenie. Sprawę przeniesiono z Krakowa do Warszawy i główne postępowanie umorzono. Na szczęście w innym postępowaniu prokurator nie mógł już nie zobaczyć, że dziennik budowy był sfałszowany, i pan Janusz Dobosz dostał wyrok skazujący. Wygrywamy także sprawę cywilną, z powództwa Dobosza o zapłatę tych 68 tysięcy. Sąd obciąża go kosztami, ale okazuje się, że wykonawca nie dysponuje żadnym majątkiem. Wszystko, co ma, jest przepisane na rodzinę, więc komornik nie ma z kogo ściągać. Ten człowiek przez całe postępowanie śmiał się nam w twarz.

Jak ojciec to przeżywał?

Nie mógł sobie z tym poradzić. Zwłaszcza z medialną nagonką. Dominował przekaz, że oto „wielki pan minister – koordynator od służb" niszczy i prześladuje Bogu ducha winnego budowlańca.

Warto było się procesować?

Wygraliśmy wszystkie procesy, ale pies z kulawą nogą się o tym nie zająknął. Żadne pieniądze nie byłyby w stanie zrekompensować naszych strat moralnych i wizerunkowych. Ojciec był jednak gotów zapłacić każdą cenę, byle nie ulec oszustowi.

Bolały go dowcipy o wannie Wassermanna?

To mało powiedziane. Przecież cała sprawa trwała z dziesięć lat. Jeszcze kilka miesięcy przed Smoleńskiem drwiono z nas w telewizji. Janusz Palikot szydził, że ojciec powinien się wykąpać w swej wannie. To była walka z wiatrakami. Ci, którzy znali dokumenty, wiedzieli, jaka jest prawda, ale media nie były nią zainteresowane. Zwłaszcza „Gazeta Wyborcza".

Któryś z polityków inspirował dziennikarzy?

Janusz Kaczmarek już po swoim konflikcie ze Zbigniewem Ziobro opowiadał, że tak zwana wanna Wassermanna to była sprawka ministra sprawiedliwości. Mówił o naradach w resorcie, podczas których śmiano się z tej historii.

Najpierw była wanna, a potem „rura Wassermanna". Coś dużo tego wszystkiego.

Rura, która nigdy nie istniała. „Wyborcza" nagłośniła kompletną fikcję. Przyjeżdżam w piątek rano pod dom rodziców i widzę samochody telewizji. Ojciec w Warszawie, więc dzwonię i pytam, co mam robić. Mówi, żebym wpuściła dziennikarzy i pokazała, że nie ma żadnej rury. Przekaz „Gazety" był taki, że na całym osiedlu wyłączono gaz, tymczasem Wassermann, narażając ludzi, doprowadził go sobie na własną rękę. Rura, owszem, była, ale półtora kilometra dalej i nie miała z nami nic wspólnego. Pani ze sklepu opowiedziała później, że byli u niej dwaj panowie, prawdopodobnie dziennikarze, którzy wykupili alkohol. Każdy z okolicznych pijaczków, który powie, że rura prowadzi do domu Wassermanna, miał go dostać.

Czy „Gazeta Wyborcza" sprostowała informację?

Nie wiem, nie śledziłam tak dokładnie. Był czas, kiedy „Wyborcza" codziennie o nas pisała. Ojciec myślał o procesie, ale mu odradziłam. „Tato – mówiłam – im tylko o to chodzi! Nie można wytaczać procesu za każdy nieprawdziwy artykuł! Byłoby ich kilkadziesiąt".

Parę tygodni po Smoleńsku jeden z dziennikarzy zapytał mnie, czy wiem, skąd się wzięła „wanna Wassermana". Powiedział, że szukano czegoś na ojca, ale nic nie znaleziono. Jeśli nie udało się go zaatakować czymś poważnym, trzeba było go ośmieszyć. I to robili.

Część trzecia

„Gdyby Donald Tusk zaczął mówić prawdę, natychmiast bym odpuściła"

Nie ma pani dość?

Czasami. Ale ja nigdy nie odpuszczam. Mam taki charakter, że nie mogę usiedzieć na miejscu, gdy dzieje się draństwo.

Kiedy dowiemy się prawdy o Smoleńsku?

Kiedy jesienią 2012 roku Cezary Gmyz napisał w „Rzeczpospolitej", że na wraku znaleziono ślady trotylu, pomyślałam: „Boże, czy to już?". Okazało się, że jeszcze nie.

Podpisałaby się pani pod słowami z transparentu, że „Tusk to zdrajca"?

Ludzie mają prawo do emocji, ale mnie nie satysfakcjonują takie hasła. Satysfakcję odczuję, gdy spotkamy się z Donaldem Tuskiem i wyjaśnimy, czy to, co zrobił przed katastrofą i po niej, było nieudolnością, tchórzostwem czy zdradą.

Na sali sądowej?

Tak. Może wówczas przewodniczący Rady Europejskiej będzie musiał stawić czoła odtajnionym notatkom z rozmów z Władimirem Putinem.

A pani będzie oskarżycielem?

Nie mam takich marzeń.

Cezary Gmyz,
Trotyl na wraku Tupolewa, „Rzeczpospolita",
30 października 2012 roku:

Polacy, którzy badali wrak samolotu, odkryli na nim ślady materiałów wybuchowych. Badania przeprowadzali przez miesiąc w Smoleńsku polscy prokuratorzy i biegli – ustaliła „Rzeczpospolita". Wrócili dwa tygodnie temu. […] Do Smoleńska wraz z prokuratorami pojechali biegli pirotechnicy z Centralnego Laboratorium Kryminalistycznego oraz Centralnego Biura Śledczego, z nowoczesnym sprzętem. Już pierwsze próbki, zarówno z wnętrza samolotu, jak i poszycia skrzydła maszyny, dały wynik pozytywny. Urządzenia wykazały między innymi, że na aż 30 fotelach lotniczych znajdują się ślady trotylu oraz nitrogliceryny. Substancje te znaleziono również na śródpłaciu samolotu, w miejscu łączenia kadłuba ze skrzydłem. Było ich tyle, że jedno z urządzeń wyczerpało skalę.

Donald Tusk z Władimirem Putinem, Smoleńsk, 10 kwietnia 2010 roku
(fot. Alexey Nikolsky/East News)

Gdyby tylko Donald Tusk zdjął maskę i zaczął mówić prawdę, natychmiast bym odpuściła. Gdyby powiedział, że w tym miejscu zawaliliśmy,
a w innym upadliśmy na kolana…

… wybaczyłaby mu pani?

Myślę, że tak. Niestety, Tusk cały czas nosi maskę.

?

To maska cynika. Najpierw sugerował, że rodzinom chodzi o kasę. Potem
w sejmie opowiadał o dwóch tysiącach osób w Smoleńsku, choć jako żywo
nikt ich tylu tam nie widział. Na miejscu katastrofy naszych ludzi można
było policzyć na palcach, a ci, którzy byli w Moskwie, padali ze zmęczenia.

Prezydent Bronisław Komorowski
w wywiadzie dla TVP INFO, 1 stycznia 2011 roku:

Jestem osobiście przekonany, że nikt nie zakwestionuje tego, że główną przyczyną katastrofy smoleńskiej była próba lądowania podjęta w warunkach pogodowych, które się do tego absolutnie nie nadawały […]. W katastrofie smoleńskiej najważniejsze było to, że podjęto próbę lądowania w warunkach klimatycznych braku widoczności, w których absolutnie ta próba lądowania nie powinna mieć miejsca. Wszystkie inne kwestie są to sprawy dodatkowe. One mogły utrudnić sytuację. Ale to jest podstawowy powód i radziłbym nie szukać jakichś ekstra nadzwyczajnych wytłumaczeń, bo niestety – w moim przekonaniu – sprawa jest w sposób arcybolesny prosta.

* * *

Marszałek sejmu Bronisław Komorowski
dla Radia Wrocław, 23 listopada 2008 roku:

Wie pan, jeżeli zamach, to powiedziałbym – jaka wizyta, taki zamach. Bo z 30 metrów nie trafić w samochód, to trzeba ślepego snajpera. […] Wczorajszy incydent w Gruzji będzie miał negatywny wpływ na stosunki polsko-rosyjskie. Stawia on w niezręcznej sytuacji prezydenta Lecha Kaczyńskiego, a także polską dyplomację. […] Takie szybkie oskarżenie strony rosyjskiej będzie miało wpływ na relacje polityczne między Polską a Rosją.

Jarosław Kaczyński stwierdził, że doszło do „niesłychanej zbrodni". Powiedział tak, choć nie miał na to dowodów.

A jeśli w samolocie była eksplozja, to do zbrodni doszło czy nie?

Pewności nie ma.

Moja obecna wiedza graniczy z pewnością, że był wybuch.

Wybuch, czyli zamach?

Hipoteza zamachu jest prawdopodobna. Bardzo. Wiedzą o tym ci, którzy – tak jak ja – mają dostęp do akt śledztwa. Zdają sobie z tego sprawę również ci, którzy z tej hipotezy publicznie szydzą. Do dzisiaj prokuratura nie wykluczyła możliwości przeprowadzenia zamachu. Sądzę, że poważnie bierze ją pod uwagę także Donald Tusk.

Przecież wielokrotnie mówił, że to absurd.

To retoryka. Proszę pomyśleć, gdyby to był zwykły wypadek, czy rząd oddałby śledztwo w ręce Rosjan? Zastanawiam się, czego przestraszył się Donald Tusk, że doszedł do wniosku, iż zapłaci każdą cenę, byle tylko prawda nie wyszła na jaw.

Najpierw był dramat, potem chaos, na końcu narodowa trauma. Dlaczego zakłada pani świadome działanie premiera? Może, po ludzku, przerosła go sytuacja? Tak jak nas wszystkich.

Nie przyjmuję tego do wiadomości. Przez jakiś czas byłam przekonana, że to rzeczywiście splot nieszczęśliwych okoliczności. Kiedy zaczęłam analizować działania rządu i prokuratury, zrozumiałam, że coś nie gra. Liczba błędów popełnionych zaraz po katastrofie wskazuje, że nie były one przypadkiem. Tak mogli zachować się studenci drugiego roku prawa, lecz nie ci, którzy rządzili państwem od trzech lat. Jeśli nie ma się nic do ukrycia, to tak się nie postępuje.

Rząd zrezygnował z dotarcia do prawdy?

Potrafię zrozumieć, że przez pierwszych kilka godzin panował chaos. To, co działo się później, utwierdziło mnie jednak w przekonaniu, że nie był to zwykły bałagan. W Polsce do 2010 roku wydarzyło się wiele katastrof. Lotniczych, budowlanych czy drogowych. Procedury były utrwalone od lat.

Kodeks postępowania karnego i inne akty prawne mówią, co w takich sytuacjach robić. Krok po kroku. To wszystko zostało w Smoleńsku zaniedbane. Nie wierzę, że ktoś zadał sobie tyle trudu, by bez powodu złamać wszelkie standardy.

Trotyl, sztuczna mgła, hel, dobijanie rannych. Obrońcy rządowej wersji przyczyn katastrofy uważają, że to czysta fantastyka.

To tylko prymitywna zbitka słów i próba ośmieszenia poszukujących prawdy. Absurdalne teorie miesza się z prawdopodobnymi hipotezami. Lepsza od szyderstw jest spokojna analiza znanych i tych mało znanych faktów.

Bronisław Komorowski uważa, że przyczyna katastrofy jest „w sposób arcybolesny prosta".

Jestem zażenowana tymi słowami prezydenta. Ale czego można oczekiwać od człowieka, który otwarcie kpił ze swego poprzednika, Lecha Kaczyńskiego, mówiąc, że „jaka wizyta, taki zamach".

Liczy pani na to, że prezydent zmieni zdanie w sprawie katastrofy?

Nie mam takich nadziei. Nie miałyby one nic wspólnego ze zdrowym rozsądkiem.

Dziesiątego kwietnia 2010 roku najważniejszą sprawą dla Bronisława Komorowskiego było jak najszybsze przejęcie władzy. Zrobił to w sposób, do którego można mieć poważne zastrzeżenia.

Nie zaakceptuje pani ustaleń żadnej komisji, dopóki ta nie stwierdzi, że był zamach?

To nieprawda.

Jest pani gotowa przyjąć, że za katastrofę odpowiadają piloci?

Jeśli w przestrzeni publicznej pojawi się dowód na winę załogi, wezmę go poważnie pod uwagę. Ale póki co takiego dowodu nie ma.

Wiele osób miało do mnie pretensje, że tak późno zaczęłam dopuszczać możliwość zamachu. Małgośka – mówili – przecież to na pewno Ruskie! Odpowiadałam, żeby dali spokój, bo na razie to tylko takie gadanie. Wie pan dlaczego? Bo nigdy nie działałam pod wpływem emocji i nie rzucam słów na wiatr.

Teraz już wiem, że prawdopodobieństwo wybuchów jest bardzo wysokie. Rzecz jasna, od stwierdzenia, że doszło do eksplozji, do ustalenia jej sprawców droga jest daleka.

Długo będzie się pani zajmować Smoleńskiem?

Na pewno nie zostawię tej sprawy. I będę pytać do końca życia.

Ale wielu Polaków nie chce już o tym słuchać.

Przeciętny Kowalski interesuje się przede wszystkim swoimi sprawami. Ja to rozumiem. Ale dla mnie taką właśnie sprawą jest śmierć mojego ojca.

Ma pani żal do ludzi, że temat katastrofy im już zobojętniał?

Smoleńsk został im zohydzony przez dziesiątki nieprawdziwych informacji. Władze nie mówią ludziom prawdy. Z drugiej strony niektórzy nie chcą jej usłyszeć. W jakimś sensie są oszukiwani na własne życzenie.

Nie chcą się dowiedzieć, jak było?

Może się boją, że prawda okaże się zbyt straszna.

**Fragment listu rodzin smoleńskich
do Donalda Tuska:**

Najważniejsze wątpliwości – co istotne, nie jedyne – dotyczą problemu identyfikacji i sekcji
zwłok, jak też czynności podjętych przez polski rząd działający pod Pańskim kierownic-
twem, celem niezwłocznego sprowadzenia do
kraju kompletnego wraku samolotu TU-154M,
ze szczególnym uwzględnieniem rejestratorów lotu wraz z oryginalnymi danymi. […] Wie-
rzymy, że mimo bardzo wielu obowiązków,
znajdzie Pan Premier czas na spotkanie z nami,
celem wyjaśnienia wątpliwości, w sprawie tak
istotnej dla spokoju naszego dalszego życia.

* * *

**Premier Donald Tusk na dziesięć dni
przed spotkaniem, Bruksela:**

Jest oczywiście problem – bo być może tego
ma dotyczyć spotkanie – roszczeń. I pracuje
zespół, bo nie chcemy, w najmniejszym stopniu nie chcielibyśmy, aby roszczenia rodzin, te
roszczenia finansowe, były realizowane, czy jakoś tam dogadywane, w atmosferze konfliktu.

„I o to chodziło, ponieważ za nic nie odpowiadamy"

Pierwsze spotkanie rodzin smoleńskich z premierem Tuskiem odbyło się 10 listopada 2010 roku. Jak do niego doszło?

Minęło już pół roku od katastrofy, a my wciąż nie znaliśmy odpowiedzi na podstawowe pytania. Wydawało się, że najlepiej będzie zapytać samego premiera i jego ministrów. Zainicjowałam list z apelem do Donalda Tuska. Podpisało się trzydzieści siedem rodzin. Część z tych „zadowolonych ze wszystkiego" wprost nam odmówiła. Powiedziały, że nie są zainteresowane. Osobiście rozmawiałam z panią Małgorzatą Szmajdzińską. Poprosiła o czas do namysłu i zadeklarowała, że oddzwoni. Nie zrobiła tego jednak. Pod listem nie podpisali się też pani Ewa Komorowska i pan Paweł Deresz. Były żony generałów i pilotów, lecz nie było rodzin polityków SLD i PO.

Na spotkaniu byli wszyscy najważniejsi. Premier Tusk, ministrowie Miller, Kopacz, Najder, Arabski, Boni oraz ksiądz Błaszczyk, który był w Moskwie.

Na początku było miło. Premier rozpoczął od przeprosin za słowa o pieniądzach, których rzekomo domagaliśmy się od państwa. Tłumaczył, że został „podpuszczony" przez dziennikarza i nie chciał swoją wypowiedzią nikogo dotknąć. Zapewnił, że jeśli trzeba, to będzie z nami siedział nawet całą noc i odpowie na każde pytanie. Po czterdziestominutowym wstępie premiera zaproponowałam, żeby każdy zadał jedno pytanie i żeby mikrofon szedł dalej. Zgromadzeni i premier byli za.

Kiedy zapytałam o skład ekipy, która wyleciała do Smoleńska, Tusk powiedział, by mikrofon przekazać dalej, on będzie notował pytania i wszystkie kwestie wyjaśni na końcu. Podobnie został potraktowany Dariusz Fedorowicz, który w Smoleńsku stracił brata, a pytał o sekcje zwłok. Nasze pytania zawisły w próżni.

Kiedy przyszła pora na pana Deresza, ten zapytał: „Co zrobiliśmy jako kraj, żeby nigdy więcej do takich katastrof nie doszło?". Powiedzieliśmy dość. Oprócz mnie wystąpili pani Kochanowska i pan Melak. „Panie premierze, to nie ma sensu. Nie będziemy zadawać więcej pytań. Proszę odpowiedzieć na te, które już pan usłyszał". Strona rządowa broniła się, jak mogła, ale byliśmy uparci. Poprosili o przerwę i wyszli na pół godziny narady. Rodzinom zaserwowano kanapki, herbatę i kawę.

Po powrocie premiera napięcie wzrosło.

Donald Tusk powiedział, że 10 kwietnia była sytuacja bez precedensu i on nigdy wcześniej czegoś takiego nie przeżył. Gdy zadzwonił minister Sikorski, natychmiast wsiadł do samochodu i popędził do Warszawy. W tym czasie rozmawiał przez telefon z prezydentem Miedwiediewem. Premier opowiadał o swoich emocjach, pokazując nam taką ludzką twarz. Ale ta opowieść trwała i trwała, więc mu przerwaliśmy, prosząc, żeby przeszedł do konkretów. Wtedy ktoś wstał i oświadczył, żebym już dała spokój. Odpowiedziałam, że to zrobię, ale najpierw muszę dostać odpowiedź. Wsparła mnie Dorota Skrzypek.

Wróciłam do rozmowy z prezydentem Miedwiediewem: „Panie premierze, czy zapytał pan prezydenta Rosji o zgodę na wjazd polskiej ekipy do Smoleńska?". Tusk zaprzeczył.

Jak to tłumaczył?

Że wszyscy byli w szoku. On też jest człowiekiem, więc również był w szoku. Poza tym Miedwiediew składał mu tylko kondolencje. Zapytałam, czy kiedy rząd dowiedział się o wypadku, to najpierw wyleciał samolot z naszą ekipą, a potem premier poprosił o zgodę na przekroczenie granicy. Czy najpierw była zgoda, a później wylot. Zamiast odpowiedzi Tusk zaczął odczytywać listę ministrów, którzy polecieli do Smoleńska w okolicach godziny osiemnastej. Nie ustępowaliśmy. „Kto konkretnie poleciał zabrać ciała naszych bliskich, zabezpieczyć ich rzeczy i miejsce katastrofy?" Premier się zdenerwował: „Przecież odczytuję pani listę!" „To znaczy, że nikt nie poleciał po naszych ludzi? Żaden lekarz, żaden wojskowy, żaden prokurator, nie było nikogo ze służb?" – spytałam. Tusk nie wiedział, co odpowiedzieć. „Dobrze, przygotuję pani na piśmie, kto poleciał". Wcześniej mówił, że wyleciał jeden samolot, dużo czasu poświęcając na tłumaczenie, że wyleciałby szybciej, ale czekali na Jarosława Kaczyńskiego, który ostatecznie z zaproszenia nie skorzystał.

Dostała pani odpowiedź na piśmie?

Do dziś nie udało mi się zdobyć informacji, czy szef rządu poprosił Moskwę o to, byśmy mogli uczestniczyć w czynnościach na miejscu katastrofy. Wnioskuję więc, że premier Polski o nic się do Rosji nie zwrócił!

Po pewnym czasie Donald Tusk, jak ma to w zwyczaju, sam sobie zaczął zadawać pytania: „Jeśli pytacie, czy współpraca z Rosją jest dobra, odpowiem, że dobra nie jest. Czy Rosja jest łatwym partnerem? Nie, jest partnerem bardzo trudnym. Jest nam ciężko, stajemy na głowie, ale Rosja nie chce z nami współpracować".

Mówił o tym niecały miesiąc przed wizytą Miedwiediewa w Warszawie.

Kilkanaście dni wcześniej. Rosyjski prezydent przyleciał na początku grudnia i nikt, żaden z przedstawicieli władz, nie pisnął słowa o prawdziwych relacjach z Moskwą. Bronisław Komorowski serdecznie przyjmował Miedwiediewa w Belwederze, a cała wizyta przebiegła w sielankowej atmosferze.

Wróćmy do spotkania. Pytaliście o konwencję chicagowską?

Kiedy zaczęliśmy o to pytać, na twarzach ministrów dostrzegłam wyraz ledwo skrywanej ulgi. Jeden z nich zaczął nas przekonywać, że to świetny ruch. „Wiedzieliśmy – mówił – że Rosjanie nie dotrzymują umów, więc musieliśmy znaleźć sztywne ramy współpracy. Była umowa z 1993 roku i konwencja chicagowska. Uznaliśmy, że konwencja daje nam więcej praw". Andrzej Melak zwrócił się wtedy do ministra Millera: „Czy pan wie, że zgadzając się na konwencję, pozbawiliśmy się wpływu na cokolwiek?". Odpowiedź ministra była zaskakująca: „I o to właśnie chodziło. My za nic nie odpowiadamy! Nie ponosimy odpowiedzialności za ostateczny raport. Dajemy tylko nasze uwagi końcowe! To dla nas idealny układ!".

Generał Roman Polko,
Szefologika, czyli logika szefowania (Gliwice 2014):

Pamiętam zdziwienie wojskowych z NATO, że katastrofie uległ wojskowy samolot z polskim prezydentem, a nikt nie skontaktował się z ich kwaterą główną, by pozyskać chociażby zdjęcia satelitarne lotniska z momentu wypadku. Jeden NATO-wski wojskowy kilka tygodni po katastrofie zapytał mnie szeptem: „nie boicie się, że to mógł być zamach?". Nie wiedziałem, jak mu wytłumaczyć, że postawienie takiego pytania w Polsce, jest równoznaczne z przyklejeniem łatki oszołoma. A przecież rzetelność badawcza wymaga, by stawiać wiele nawet najbardziej nieprawdopodobnych hipotez, które się odrzuca po ostatecznym zaprzeczeniu.

Jest pani pewna słów ministra?

Bardzo dobrze je zapamiętałam. Rząd przekonywał nas, że wybór konwencji, zgodnie z życzeniem pana Morozowa, który zadzwonił do Edmunda Klicha, to fantastyczny manewr. Przekaz był jasny: polski rząd wszystkich przechytrzył.

Po ludzku rzecz ujmując, nie było to tak całkiem głupie, bo mogli kierować się zasadą „szkoda się za to brać, bo i tak to spieprzymy". Jest jednak jedno „ale". Przy takiej katastrofie żaden premier nie może umywać rąk. Nie może przyjmować biernej postawy. Zaniechanie – w przypadku urzędnika państwowego – jest przestępstwem.

Co mówiła Ewa Kopacz?

Mówiła, że nikomu nie życzy tego, co ona przeżyła w Moskwie. Wspierał ją ksiądz Henryk Błaszczyk, który – zwracając się do Dariusza Fedorowicza – powiedział, że najwięcej pretensji mają ci, których tam nie było. Fedorowicz jest lekarzem. Kiedy pytał o to, kto i w jaki sposób przeprowadzał sekcje, przyjął dość ostrą retorykę. Wówczas ksiądz oskarżył go o to, że jest człowiekiem niedojrzałym, który skupia się wyłącznie na sobie.

Co minister zdrowia mówiła o sekcjach zwłok?

Stwierdziła, że spodziewała się tego pytania. Potem wyjaśniła, że po prostu się przejęzyczyła, bo chodziło jej o udział w identyfikowaniu zwłok, a nie uczestnictwo w sekcjach.

Uwierzyła jej pani?

To nie jest kwestia wiary. Rzecz w tym, że pani minister przyleciała do Moskwy w niedzielę, 11 kwietnia. A właśnie tego dnia Rosjanie powiedzieli Polakom, że się spóźnili. I nie mogą brać udziału w badaniach ciał, bo jest już po sekcjach. Wygląda więc na to, że polscy lekarze najpierw założyli fartuchy, a po chwili musieli je zdejmować. Uznali, że skoro Rosjanie mówią, że jest po sekcjach, to tak właśnie jest.

Zareagowała pani?

Musiałam, ponieważ wykonanie tylu sekcji w tak krótkim czasie to coś nieprawdopodobnego. „Jeżeli państwo dali sobie wmówić, że w 24 godziny po katastrofie zdążono przewieźć dziewięćdziesiąt sześć ciał do Moskwy

**Ksiądz Henryk Błaszczyk,
towarzyszący rodzinom ofiar podczas pobytu
w Moskwie, w rozmowie z Janiną Paradowską,**
„Polityka", 17 listopada 2010 roku:

Janina Paradowska:
Część rodzin kwestionuje obecnie identyfikacje, są nawet wnioski o ekshumację. Ksiądz też ma dziś wątpliwości, uważa, że identyfikacje nie były prawidłowe?
Ksiądz Henryk Błaszczyk:
Nie mam najmniejszych wątpliwości. Dokonano
ogromnego wysiłku dla zachowania najbardziej
uczciwej metody identyfikacji ciał. Ten proces mógł
trwać bardzo długo, ale Rosjanie, mając doświad-
czenie wielu katastrof lotniczych, we współpracy
z polską grupą, naszymi patologami, ekspertami od
kryminalistyki, przeprowadzali z wielką starannością
cały proces identyfikacji, który rozpoczynał się od momentu dostarczenia materiału zdjęciowego, genetycz-
nego, od opisów, które powstały w momencie przesłu-
chiwania rodzin. […] Pytanie o sekcje mnie po prostu
zdumiewa, doprawdy nie wiem, czemu ma ono służyć.

* * *

**Ksiądz Henryk Błaszczyk
w rozmowie z Martą Ziernik,**
„Nasz Dziennik", 28 listopada 2012 roku:

Gdy mówiłem dwa i pół roku temu o życzliwości Rosjan, to przez pamięć tej grzeczności i współczucia
tych z nich, którzy – jak sądzę – szczerze chcieli pomóc. […] Dzisiaj z perspektywy czasu widzę, jak od samego początku nie wykazano należnej sumienności
w wielu sprawach, zwłaszcza w rzetelnym opisie wyników sekcji, a także staranności o zachowanie tożsamości ciał.

i przeprowadzić sekcje, to macie poważny problem. My tego nie kupujemy. I prosimy, nie wmawiajcie ludziom, że to w ogóle było możliwe".

Ilu lekarzy przyleciało z minister do Moskwy?

Na spotkaniu dowiedzieliśmy się, że trzech. Do blisko stu ofiar poleciało jedynie trzech polskich lekarzy! Jak oni to sobie w praktyce wyobrażali? Przecież nie wystarczyłyby im nawet dwa tygodnie, choćby pracowali dzień i noc.

Ministrowie Arabski i Kopacz nie interweniowali?

Nic mi o tym nie wiadomo. Dziwne jest nie tylko to, że uwierzyli w zapewnienia Rosjan, iż jest po sekcjach. Bardziej bulwersujące jest to, że widzieli, jak do Instytutu dowożone są kolejne ciała ze Smoleńska, i nie reagowali.

Ewa Kopacz poleciała do Moskwy i jako minister, i jako lekarz, a więc poleciała do pracy. Tomasz Arabski miał koordynować polskie działania. Czy zgłosili ten fakt premierowi? Czy rząd podjął kroki wobec Rosji? Jeśli tak, to na jakim szczeblu? Gdzie są noty dyplomatyczne? To są ministrowie, którzy ponoszą odpowiedzialność nie tylko polityczną, ale też karną.

Dlaczego nie otwarto trumien i nie przeprowadzono sekcji w Polsce?

Pytaliśmy o to. Pani Kopacz tłumaczyła, że nie pozwalała na to ustawa o chowaniu zmarłych. Odpowiedział jej Dariusz Fedorowicz, że jako lekarz epidemiolog pracuje z ustawą na co dzień, lepiej więc, by nie wprowadzała ludzi w błąd, gdyż ustawa nie miała tutaj zastosowania. Kiedy spytał, czy ktoś może mu powiedzieć, jaka część brata wróciła do Polski, rozległy się pomruki niezadowolenia. Wstała pani Ewa Komorowska i powiedziała, że jest oburzona tendencyjnymi pytaniami do premiera i ministrów. Na jej słowa zareagowała wdowa po admirale Karwecie. „Proszę państwa – powiedziała – mój mąż to jedna ręka, która wróciła do kraju. Za każdym razem, gdy słyszę o nowych znalezionych szczątkach, zastanawiam się, czy to nie on. Proszę więc nie mówić, że to są nieistotne sprawy". Po jej wypowiedzi sala stanęła po naszej stronie.

Jaka była reakcja ministrów?

Tłumaczyli się, że nie mają precyzyjnej wiedzy. Proszą więc, by dać im więcej czasu. Obiecali, że skonsultują się z prokuraturą i przekażą odpowiedzi. Donald Tusk powiedział, że musi zadzwonić do prokuratora Seremeta i potrzebna jest kolejna przerwa. Było późno, więc zaproponowaliśmy, żeby nie siedzieć do rana, ale spotkać się za miesiąc.

Jakie wrażenie zrobił na pani premier?

Myślę, że nie posunął się do kłamstw.

Pokazał jednak swoją bezradność. Pierwszy raz – po siedmiu miesiącach od katastrofy – przyznał, że mamy ogromne kłopoty z Rosjanami. A przychylność, o której publicznie trąbiono od 10 kwietnia 2010 roku, nie istnieje.

Podczas spotkania rozmawialiście z księdzem Henrykiem Błaszczykiem.

Kiedy stałyśmy z mamą w kolejce do szatni, podszedł do nas i zaczął przepraszać. Mówił, że nikogo nie chciał urazić. Chciał, byśmy zrozumieli, że oni też są ludźmi i nie byli przygotowani na tak dramatyczne wydarzenia.

Przyjęła pani przeprosiny?

Nie od razu. „Proszę nam nie wmawiać – mówiłam – że 11 kwietnia było po sekcjach. To wbrew zdrowemu rozsądkowi". Ksiądz nadal obstawał przy swoim. „Proszę nie opowiadać, że było cudownie i Rosjanie wam pomagali!" Wywiązała się między nami ostra wymiana zdań. W końcu ksiądz Błaszczyk odpuścił: „Co mam powiedzieć? Rzeczywiście, współpraca z Rosjanami była bardzo zła. Od początku nie dopuszczali nas do niczego" – przyznał. „To dlaczego słyszymy, że państwo zdało egzamin?" „A co pani chce ode mnie usłyszeć?" „Prawdę!" „Dobrze, to powiem prawdę. Nie daliśmy rady. Nie podołaliśmy. I co mam teraz zrobić?"

Nigdy nikogo nie nagrywałam, ale żałowałam, że nie miałam w kieszeni dyktafonu. Przecież pół godziny wcześniej ksiądz atakował rodziny, które zadawały mu trudne pytania.

A jednak okazał skruchę.

Przyznaję, byłam pod wrażeniem jego szczerości. Ale to nie trwało długo. Gdy wróciłyśmy około północy do hotelu, włączyłam TVN24, a tam leciała powtórka *Kropki nad i*, której gościem był ksiądz Błaszczyk. To był absolutny szok. Znowu powtarzał, że współpraca z Rosjanami była znakomita, a najgłośniej krzyczą teraz ci, których w Moskwie nie było. I to oni najbardziej ranią rodziny. Myślałam, że to jakiś sen. To było dla mnie ciężkie przeżycie. Tym bardziej że chodziło o hipokryzję kapłana.

Zachwiało to pani wiarą?

Nie, ponieważ nic nie jest tego w stanie zrobić. Ale ksiądz Błaszczyk to jedno z moich największych rozczarowań.

Marszałek sejmu Bronisław Komorowski,
3 maja 2010 roku:

Państwo polskie w obliczu dramatu katastrofy pod
Smoleńskiem i jej skutków zdało egzamin. Trzeba
dzisiaj wszystkim obywatelom państwa polskiego
powiedzieć, że zdaliśmy razem ten trudny egzamin
i mamy prawo być dumni ze współczesnego państwa polskiego.

* * *

**Donald Tusk w rozmowie
z Marcinem Antosiewiczem,**
„Deutsche Welle", 9 czerwca 2010 roku:

Staramy się wyciągnąć z tej tragedii pozytywne
wnioski na przyszłość. Także te polityczne. Również dotyczące coraz lepszych relacji polsko-rosyjskich, bo one są kluczem do dobrych relacji euro-
pejsko-rosyjskich. Te moje starania także sprzed
katastrofy, ale też doceniam starania przywódców
rosyjskich, nabrały nowego przyspieszenia właśnie
z powodu tej katastrofy.

„Katastrofą żył cały świat, Rosjanie nie zaryzykowaliby odmowy"

Drugie spotkanie z premierem odbyło się miesiąc później.

Zaraz na początku mecenas Stefan Hambura oświadczył, że złożył wniosek o ujawnienie stenogramu z listopadowego spotkania. Premier odpowiedział, że prawnicy próbują znaleźć podstawę prawną, by wniosku nie uwzględniać.

Dlaczego?

Donald Tusk tłumaczył, że to wszystko dla naszego dobra.

Było inaczej niż w listopadzie?

Spotkanie niewiele różniło się od poprzedniego. Mecenas Bartosz Kownacki pytał, w jakich przypadkach można łamać ustawę o pochówku, a kiedy tego robić nie wolno: „Nie pozwoliliście w Polsce otworzyć trumien – mówił – powołując się na ustawę. Ta sama ustawa nakazuje pochówek w ciągu 72 godzin. Ten przepis złamaliście, wystawiając trumny z ciałami na widok publiczny".

Co na to ministrowie?

Minister Boni zaczął opowiadać, jak to rząd zamawiał najlepsze zagraniczne trumny. Premier stwierdził, że część z pytań przekracza granice dobrego smaku i rodziny mogą się poczuć dotknięte. Ale on, oczywiście, nie będzie ich cenzurować.

Fragment nagrania ze spotkania z premierem,
„Superexpress", 23 lutego 2011 roku:

Ewa Kochanowska, wdowa po Januszu Kochanowskim:
[…] Może na chwileczkę zostawmy umarłych, jeśli pan po-
zwoli, bo mam pytanie o żywych. Czy pana zdaniem pytanie
jak, nawet nie dlaczego, ale jak zginął mój mąż jest pytaniem
zagrażającym życiu? Ponieważ w czasie po wystąpieniu mojej
córki w Parlamencie Europejskim, europoseł Landsbergis, były
prezydent Litwy, odnosząc się do jej zdecydowanej, skompo-
nowanej bardzo prawniczo wypowiedzi, powiedział wprost:
„Jest pani w niebezpieczeństwie. I dlatego proszę uważać. Na
przykład podczas jazdy samochodem". Chciałam zapytać, czy
zadawanie pytań jest zagrażające życiu?
Premier Donald Tusk:
[…] ale w najmniejszym stopniu nie zamierzam odpowiadać
na tego typu pytania i wypowiedzi. […] Wie pani co, bo rozmawiamy o sprawach, które nie znoszą ironicznego dystansu
[…] Bardzo cenię sobie pani pytanie, ale jest ono oburzające.
Ono jest oburzające. […] Więcej nie będę odpowiadał na tak
obraźliwe insynuacje (SŁYCHAĆ UDERZENIE w stół – przyp.
red.) […] Mam dosyć wysłuchiwania uwag na temat domnie-
manego zabójstwa […]. Nie interesuje mnie wypowiedź pana
Landsbergisa w tej sprawie. […] Proszę zostać ze swoim po-
glądem, jeśli pani ma satysfakcję, że ją tak potraktowano.
I proszę zapytać premiera Landsbergisa, a nie mnie!

Ciężko było dojść do słowa. Przy trudnych dla rządu pytaniach „dyżurne" rodziny reagowały słowami, że „są nie na miejscu i jak tak można". Głos zabrała pani Szmajdzińska i oświadczyła, że nie życzy sobie tego wszystkiego słuchać.

Jak podzieliła się sala?

Odniosłam wrażenie, że większość rodzin akceptowała naszą dociekliwość, lecz bała się zademonstrować to otwarcie. Ilekroć pytania zadawały rodziny ofiar z PiS, tyle razy kontratakowała część rodzin związanych z rządem, PO i lewicą. Zawsze coś im się nie podobało. Nigdy nie działo się tak w drugą stronę. Gdy oni zadawali pytania, my siedzieliśmy cicho.

To było spontaniczne?

Trudno powiedzieć. Ale dziwne było to, że później na spotkanie z prezydentem Miedwiediewem zaproszono do Belwederu jedynie panie Komorowską, Szmajdzińską i Saryusz-Skąpską, które na każdym kroku wyrażały zadowolenie z działań rządu. Podobnie jak Paweł Deresz, który przyznał, że nie czytał akt śledztwa, bo nie był w stanie. Nie przeszkadzało mu to jednak publicznie głosić, że wszystkie wątpliwości w sprawie katastrofy zostały już rozwiane. Za każdym razem, gdy go słuchałam, zastanawiałam się, o czym on mówi. Przecież nie miał żadnej wiedzy o postępowaniu, gdyż zrezygnował z wizyt w prokuraturze.

Na tym spotkaniu doszło do ostrej wymiany zdań między Ewą Kochanowską a Donaldem Tuskiem.

Akurat wtedy wyszłam na moment z sali. Z relacji pani Kochanowskiej wiem, że premier był bardzo nieprzyjemny i prawie stracił panowanie nad sobą.

Jak Donald Tusk powinien był się zachować w kwietniu 2010 roku?

Premier unikał odpowiedzi na pytania, w których zwracaliśmy uwagę na naiwność rządu. Jej poziom przekroczył absolutnie wszystko. Donald Tusk zaufał państwu, które nie było i nie jest państwem demokratycznym. W takiej sytuacji nikomu nie powinno się ufać! Poza tym proces karny nie opiera się na zaufaniu. Liczą się dowody i zabezpieczony materiał.

Być może premier nie chciał drzeć kotów z Rosjanami, by po cichu uzyskać dostęp do niektórych dowodów.

Nie wiem, jakimi naprawdę motywami kierował się Donald Tusk. Wiem, że już dzień po katastrofie zdawał sobie sprawę, iż sytuacja wygląda fatalnie. Jedenasty kwietnia był konsekwencją tego, co stało się dzień wcześniej. Wtedy cały świat był w szoku. Wszyscy słyszeli deklaracje Putina i Miedwiediewa, że Rosja jest otwarta na każdy rodzaj współpracy. Jeśli w takiej chwili rząd nie podejmuje decyzji, że lecimy do Smoleńska, próbujemy zabrać ofiary, ich rzeczy oraz szczątki samolotu, to przegrywa wszystko. To było możliwe tylko w ciągu 24 godzin od katastrofy.

Deklaracje Rosjan o niczym nie przesądzały.

Smoleńsk był na ustach milionów. Przez weekend temat katastrofy nie schodził z czołówek najważniejszych światowych mediów. W takiej sytuacji Rosjanie nie zaryzykowaliby odmowy. Obawialiby się reakcji społeczności międzynarodowej.

Na taką katastrofę nie mógł być przygotowany żaden polityk.

Premiera Tuska oceni – mam nadzieję – sąd, a na pewno historia. My wiemy już na sto procent, że nie zapadła najważniejsza decyzja, aby „lecieć po naszych ludzi". To niewybaczalny błąd. Jeśli nie wyrusza się po prezydenta i po generałów, to nie staje się na wysokości zadania. Mówienie w takiej sytuacji, że państwo zdało egzamin, jest nieporozumieniem i kpiną.

„Ostrzegał mnie, że nie wyciąga się własnego ojca z grobu"

Kiedy w październiku 2010 roku złożyła pani wniosek o ekshumację, starano się panią od tego odwieść.

Umówiłam się w tamtym czasie z prokuratorem Szelągiem na przeglądanie tajnych akt śledztwa. Namawiał, bym wycofała wniosek, bo wkrótce Rosjanie przyślą nam pełną dokumentację medyczną. Twierdził, że wniosek nie ma sensu i nic nowego do sprawy nie wniesie. W pewnym momencie wyjął z teczki zdjęcia i zapytał, czy chciałabym zobaczyć. Gdy pokazał mi pierwsze z nich, odrzuciłam je jak poparzona. Popłakałam się.

Co na nim było?

Twarz taty. Była taka... ładna. Nie miała ani jednej zmarszczki. W tamtej jednej chwili zachwiał się świat, który zbudowałam sobie po 10 kwietnia. W którym tata nadal żył, tylko w innej przestrzeni. Pozostałe zdjęcia prokurator Szeląg już tylko mi opisywał, pomijając drastyczne szczegóły.

Od ekshumacji pani nie odstąpiła. Dlaczego?

Bo pojawiła się informacja o ekshumacji osób, które zginęły w katastrofie w Gibraltarze w 1943 roku. Prowadząca sprawę prokurator mówiła, że to – po siedemdziesięciu latach – czynność niezbędna do wyjaśnienia tajemnicy śmierci generała Sikorskiego. Zapytałam siebie, czym Gibraltar różni się od Smoleńska. I dlaczego mamy stosować różne miary do obu tych katastrof.

**Ksiądz Henryk Błaszczyk
w rozmowie z Konradem Piaseckim,**
RMF FM, 22 kwietnia 2011 roku:

Ten akt, do którego rodziny mają prawo, przyniesie bardzo wiele cierpienia im samym, ale też innym. Otworzenie trumny, w której są szczątki ciała ofiary katastrofy lotniczej. Wielka odwaga i niezwykła celebracja śmierci. Ja nie apeluję. Jeżeli ktoś ma taką wolę, ma prawo to uczynić. Jestem odżegnywany także od czci, posądzany o jakąś moskiewską agenturę za moje wołanie „wyjdźcie z cmentarzy!". Za moje, może nieroztropne, ale szaleństwem jest ta ekshumacja, ale absolutnie mają prawo. Tylko błagam, jeżeli już, to w ciszy, to w skupieniu, to bez fleszy, bez mediów i bez pierwszych miejsc na listach wyborczych.

Pojawiły się opinie, że ekshumacja nie wykaże nic poza obrażeniami wewnętrznymi. Jeden z internautów pisał wtedy: „Członkowie PiS zginęli w wyniku zderzenia samolotu, w którym lecieli, z ziemią przy prędkości ok. 300 km/h. Każde dziecko z podstawówki wie, co się dzieje, gdy samochód uderza w drzewo przy 1/3 tej prędkości".

Słyszałam wiele takich opinii. Podobne reakcje spotkały mnie nawet ze strony bliskich osób. Przyjaciel, który jest lekarzem, uważał, że składając wniosek, chcę się wykreować w mediach. Ostrzegał mnie, że nie wyciąga się własnego ojca z grobu. To był dla mnie cios. Na szczęście po jakimś czasie wszystko sobie wyjaśniliśmy. Miałam żal do środowisk prawniczych i medycznych, które nie dały mi publicznego wsparcia.

Bali się zabrać głos?

To środowiska, które chcą być w poprawnych relacjach z rządem, a nie da się mówić dobrze o rządzie w przypadku tej katastrofy.

Miejsce katastrofy. Na pierwszym planie porozrzucane fotele pasażerów, Smoleńsk, 10 kwietnia 2010 roku (fot. faktysmolensk.gov.pl)

Pułkownik Ireneusz Szeląg,
szef Wojskowej Prokuratury Okręgowej
w Warszawie,
18 września 2012 roku:

W momencie sprowadzania ciał do Polski nie było żadnych przesłanek wskazujących na to, że dokumentacja, która napłynie z Rosji, będzie zawierała te nieprawidłowości, które stały się podstawą do decyzji o ekshumacji i ponownego badania sekcyjnego. […] Myślę, że ci, którzy dzisiaj oceniają prokuraturę, powinni sobie przypomnieć atmosferę ówczesnych dni. I to, jak wszystkim w kraju – tak naprawdę, to państwo znacie tę atmosferę pewnie lepiej niż ja, bo ja byłem w tym czasie w Smoleńsku – jak wszystkim w kraju zależało na tym, żeby dokonać pochówku osób, również rodzinom, najbliższym. […] Poinformowano nas, że część sekcji już się odbyła, część trwa w tej chwili, a część będzie wykonana w najbliższym czasie. I zapewniano nas, że będzie wykonana ze wszystkimi międzynarodowymi standardami, a dokumentacja niezwłocznie zostanie przekazana stronie polskiej.

Żaden ze znanych prawników nie zadeklarował pomocy?

Wszyscy odmówili. Przed złożeniem wniosku konsultowałam się z kilkoma ekspertami. Dotarłam do opracowania nieżyjącego już profesora Treli, który jako szef Katedry Medycyny Sądowej zajmował się wypadkami lotniczymi. Pisał, że sekcja zwłok jest jednym z kluczowych dowodów i dzięki niej nie tylko można odczytać przyczynę zgonu, ale także odtworzyć przebieg katastrofy. Najwięcej pokazuje górny odcinek płuc: co, gdzie i jak zostało uszkodzone.

Kiedy zapraszałem do telewizji prokuratora Parulskiego, aby skomentował pani wniosek, odmówił. Powiedział, że „nie będzie zajmował się polityczną nekrofilią".

Poziom tej wypowiedzi zwalnia mnie od komentarza.

Mogę powiedzieć tylko, że dla mnie na cmentarzu – poza ciałem – nie ma nic. Wierzę, że mój tata jest w niebie. Życie wieczne nie jest dla mnie fikcją i domaganie się ekshumacji nie oznacza, że nie szanuję miejsca spoczynku ojca. Dla mnie najważniejsza jest dusza człowieka.

Myśli pani, że ojciec byłby zadowolony?

Na moim miejscu zrobiłby to samo. Gdy zabierał się za jakąś sprawę był konsekwentny i starał się doprowadzić ją do końca. Nawet wtedy, kiedy wiedział, że musi zaboleć.

Parę miesięcy później okazało się, że dokumenty medyczne, które przekazali Rosjanie, mogą być sfałszowane.

To był marzec 2011 roku. Stawiłam się w prokuraturze razem z profesorem Hermanem. Po przeczytaniu protokołu rosyjskiej sekcji nie miał wątpliwości, że dokument jest pełen nieprawdziwych informacji. Precyzyjnie podano rozmiary trzustki, śledziony i pęcherzyka żółciowego ojca. Tyle że pęcherzyk wycięto mu przed katastrofą, a trzustka i śledziona istniały jedynie we fragmentach. Rosjanie nie stwierdzili też żadnych blizn. Profesor spytał więc: „A gdzie są te dwie po operacjach? Każda po 25 centymetrów".

Na stu stronach szczegółowo opisano wszystkie, także nieistniejące organy wewnętrzne. Gdyby Rosjanie raportowali, że jama brzuszna była zmiażdżona i nie da się określić wielkości organów, nie moglibyśmy się do niczego przyczepić. Tymczasem zmiany miażdżycowe opisano co do milimetra.

Nasze podejrzenia, że dokumenty sfałszowano, potwierdziły się podczas sekcji zwłok, przeprowadzonej po ekshumacji we wrześniu 2011 roku.

Po co Rosjanie mieliby to robić?

Wciąż się nad tym zastanawiam. Może chcieli nas wybadać? Sprawdzić, czy powiemy „dość tej farsy" i zaczniemy tupać nogami? Sądzę, że większość dokumentów z Rosji była sztucznie wytworzona. To, że czekaliśmy na nie tak długo, wynika z tego, że ktoś w Moskwie postanowił je wszystkie „poprawić". By uniknąć takich kłopotów jak z protokołami kontrolerów z wieży w Smoleńsku.

Przyczyną mógł być zwykły rosyjski bardak.

To nie były zwykłe pomyłki. Mateusz Bochacik, który widział ojca w Moskwie, nie zauważył na jego ciele cięcia sekcyjnego, choć dostrzegł blizny po operacjach. Widział go we wtorek po południu, tymczasem ciało ojca już w czwartek zostało przetransportowane na Torwar. Sekcja mogła być więc wykonana albo w nocy z wtorku na środę, albo w środę w ciągu dnia.

Dlaczego nie wykonano jej w Polsce?

Władze doszły pewnie do wniosku, że skoro zrobili to już Rosjanie, to „my im ufamy". W ten sposób złamano fundamentalną dla procesu karnego zasadę bezpośredniości, czyli obowiązek przeprowadzania wszystkich dowodów bezpośrednio przed organem prowadzącym postępowanie.

Nie sprawdzili, czy faktycznie przeprowadzono sekcje?

W wielu przypadkach z jakichś powodów nie pozwolono otworzyć trumien. Władze powoływały się albo na przepisy międzynarodowe, albo sanitarne. Wracam tu do zachowania pani Kopacz w Moskwie. Nie zareagowała, gdy okazało się, że nasi lekarze nie mogą uczestniczyć w sekcjach, bo ponoć wszystkie już wykonano.

Możliwości Ewy Kopacz były ograniczone. W Moskwie rządzą Rosjanie.

Rozumiem, że Polacy nie byli do niczego dopuszczani, ale w takiej sytuacji uruchamia się kanały międzynarodowe. Powiadamia NATO i Unię Europejską. Przede wszystkim zaś prosi się o pomoc Stany Zjednoczone. Zresztą był ku temu formalny argument. Na pokładzie TU-154 zginął amerykański obywatel, pan Wojciech Seweryn. Był rzeźbiarzem. Na krótko przed katastrofą w Chicago stanął jego pomnik upamiętniający zbrodnię katyńską. Tymczasem nie mieliśmy żadnej reakcji pani Kopacz. Albo nie dopełniła obowiązków, albo jej nie dopuszczono. Jeśli to drugie, trzeba było bić na alarm. O ile w przypadku wraku mamy związane ręce, bo Rosja nie chce nam go wydać, o tyle w przypadku sekcji mogliśmy podjąć działania, kiedy ciała wróciły do kraju.

A dlaczego pani nie zażądała sekcji?

Do dzisiaj nie umiem sobie wytłumaczyć, dlaczego tego nie zrobiłam. Jak mogłam zgodzić się na pochowanie ojca bez przeprowadzenia sekcji? Gdybym myślała racjonalnie, nigdy bym z tego nie zrezygnowała. Niestety, wszyscy byliśmy wtedy w szoku.

Pani wniosek o ekshumację był przełomem, za panią poszli inni.

Tylko kilka rodzin.

Miała pani poczucie zwycięstwa, że udało się przełamać opór prokuratury?

Raczej porażki, ponieważ do ekshumacji doszło tak późno, aż czternaście miesięcy po katastrofie. Żeby do niej doprowadzić, musiałam stoczyć prawdziwą walkę. Odczuwałam opór nie tylko prokuratury, lecz także niektórych rodzin.

Można zrozumieć ich wątpliwości.

Rozumiem je. Sama wiem, jak ciężko jest podjąć decyzję. Jednak nie ma innej drogi do poznania prawdy. Współczuję rodzinom, które mają to wciąż przed sobą. Dla mnie i dla moich bliskich to było bardzo trudne.

Pani Wassermann nie jest biedną, prostą dziewczyną z ludu ani egzaltowaną panienką. Jest to baba kuta na cztery nogi, adwokatka – i gra zwłokami swojego ojca w jasnych celach politycznych. Bierze udział w tragikomedii organizowanej przez PiS – że Tu154M ściągnął Wielki Magnes – wpadł w sztuczny bąbel helu – wpadł w sztuczną mgłę – na pokładzie wybuchła bomba – bezpiecznie wylądował, a ludzi pozabijali rosyjscy komandosi (nieaktualne skreślić). W te jawne bzdury wierzy 20% Polaków – którzy uwierzą we wszystko, jeśli im się powie, że to zło spowodowali Rosjanie. I PiS ma te 20% głosów zapewnione na 20 lat. Trzeba tylko nieustannie podgrzewać atmosferę, jątrzyć.

Ale czy naprawdę konieczne?

Pytałam prokuratorów, w ilu sprawach o niewyjaśnione zgony nie wykonywali sekcji zwłok. Wszyscy odpowiadali, że nie było ani jednego takiego przypadku.

Z uporem będę powtarzać, że kluczowe były pierwsze dni po katastrofie. Każdy początkujący śledczy wie, że to pierwszy dzień śledztwa decyduje o wszystkim. To na podstawie tego, co znajdziemy na miejscu wypadku, prowadzone jest później całe dochodzenie. Może trwać dwa, pięć czy więcej lat, lecz dowody trzeba zabezpieczyć natychmiast.

Kiedy zdarzy się wypadek drogowy ze skutkiem śmiertelnym, zabezpiecza się miejsce zdarzenia i dokonuje oględzin wraz z pobraniem materiału DNA. Za każdym razem. To elementarz. Dlaczego więc nie zrobiono tego w kwietniu 2010 roku?

Janusz Korwin-Mikke oskarżył panią, że zagrała pani zwłokami ojca.

Byłam zaskoczona tym atakiem, choć może nie powinnam. Jego felieton to jeden z elementów akcji dezinformacyjnej trwającej od 10 kwietnia w rosyjskich i polskich mediach. Fakt, że została uruchomiona tak ogromna propaganda, z użyciem wielu podmiotów w polityce i dziennikarstwie, dowodzi, że Smoleńsk nie był zwykłym wypadkiem lotniczym.

Już po ekshumacji Stefan Niesiołowski mówił, że powinny za nie zapłacić rodziny.

Nie chcę tego komentować. Pan Niesiołowski nie jest w stanie mnie obrazić. Przekroczył już wszystkie możliwe granice.

„Tego, co zrobili mojemu tacie, nie życzyłabym największemu wrogowi"

Chowała pani ojca dwa razy. Za którym razem było cięzej?

W kwietniu 2010 chyba nie do końca zdawaliśmy sobie sprawę z tego, co się stało. Byliśmy jak otumanieni. Po takim doświadczeniu człowiek zatraca trzeźwość umysłu, obezwładnia go rozpacz. Kiedy żegnaliśmy tatę po raz drugi, mocniej uderzyła mnie świadomość, że utraciłam go bezpowrotnie. I nie da się już odwrócić biegu zdarzeń.

Pierwotnie badania miały być przeprowadzone w Krakowie, jednak ostatecznie wykonano je we Wrocławiu. Dlaczego?

W Krakowie usłyszeliśmy, że mamy zabrać ciało i wynieść się ze szpitala. Lekarze pojechali więc prosto do Wrocławia.

Była pani zaskoczona wynikami ekspertyzy?

Nie, gdyż potwierdziła nasze przypuszczenia. Polscy biegli stwierdzili, że zgadzają się jedynie dane formalne. Rosyjski protokół miał nagłówek, oznaczenie czasu, miejsca badania oraz dane osób uczestniczących.

Jak duże były rozbieżności między obiema sekcjami?

Było ich mnóstwo. W Moskwie nie opisano blizny pooperacyjnej na brzuchu, blizny na ręce czy rozległej rany tłuczonej. Rosjanie nie zająknęli się słowem na temat stanu po zabiegu w jamie brzusznej, jaki ojciec przeszedł kilkanaście lat wcześniej. Nie stwierdzili złamania ścian oczodołów i żuchwy, zmian w uzębieniu czy złamania stawu biodrowego. Nie opisano też złamania żeber czy wylewów w obu uszach środkowych.

W rosyjskim dokumencie pojawiły się także opisy zmian, których polscy biegli nie stwierdzili.

Tak było z nosem taty. Rosjanie opisali jego złamanie, choć złamany nie był. Podobnie z obojczykami. Napisali o uszkodzeniu rdzenia kręgowego, którego nie było. Takich błędów albo raczej kłamstw można by wymienić więcej.

Rosyjska sekcja spełniała medyczne standardy?

W najmniejszym stopniu. Czaszkę otwarto nieprawidłowym cięciem, niepozwalającym na dostęp do jej tylnej części. Nie otwarto żołądka i jelit, tymczasem w protokole opisano je szczegółowo. Najbardziej wstrząsające jest to, że śledzionę i serce zaszyto w nodze. Ani przed, ani po sekcji nie umyto ciała. Tego, co zrobili mojemu tacie, nie życzyłabym największemu wrogowi. Nawet po śmierci nie okazano mu szacunku.

Rosjanie napisali coś o bezpośrednich okolicznościach śmierci?

Nic. Nie opisano żadnych znamion pośmiertnych, które posłużyłyby do określenia czasu zgonu. Przyjęli, że mogło do niego dojść w chwili katastrofy. W protokole nie ma dokładnej godziny oględzin zwłok. To, co dostaliśmy od Rosjan, to jedno wielkie poświadczenie nieprawdy. Przypuszczam, że podobnie sfałszowano dokumenty pozostałych ofiar. Nie zadbano nawet o pozory. Po prostu z nas zakpiono.

Rosjanie jedynie sfingowali sekcję?

Z pewnością sekcja była pozorowana. Aby ją zamarkować i uwiarygodnić, dokonano okaleczeń ciała.

Czy wykryto ślady materiałów wybuchowych?

W ogóle nie pobrano materiału do takiego badania.

Jak to?

Gdy o tym się dowiedziałam, byłam zaskoczona. Okazało się, że w 2011 roku, kiedy doszło do ekshumacji, prokuratura w ogóle nie planowała badań

Andrzej Melak – brat przewodniczącego Komitetu Katyńskiego Stefana Melaka, który zginął w katastrofie smoleńskiej, w sejmie 27 września 2012 roku (za RMF FM):

Na własne oczy widziałem i na własne uszy słyszałem, byłem tam w Moskwie. Pan Arabski mówił, że nie wolno otwierać trumien.

* * *

Kazimierz Olejnik, były zastępca Prokuratora Generalnego w latach 2003–2006:

Mojej oceny sytuacji związanej z pomyłkami w identyfikacji ciał ofiar katastrofy smoleńskiej nic nie zmieni. Uważam, że odpowiedzialnością za zamianę ciał, pochowanie tych ofiar w nie swoich grobach, nie można obciążać rodzin ofiar, ducha świętego, dyplomatów – tylko organy, które ponoszą za to odpowiedzialność. I postępowanie nie zmieni mojej oceny – ta cała zamiana ciał i trumien kompromituje państwo i jego organy.

Olejnikowi zarzucono, że tą wypowiedzią uchybił godności urzędu, jednak sąd dyscyplinarny go uniewinnił. Z kolei Sąd Najwyższy uznał za „oczywiście bezzasadną" kasację Prokuratora Generalnego Andrzeja Seremeta.

na wykrycie obecności substancji wybuchowych! Dotyczy to wszystkich badań, nie tylko mojego ojca. Nie jestem specjalistą, nie byłam w stanie kontrolować całego procesu ekshumacji i oględzin. Nie miałam też nikogo, kto by mnie wsparł. Teraz wiem, że prokuratorzy popełnili karygodny błąd.

Niezależni eksperci badali torbę ojca i stwierdzili obecność śladów nitrogliceryny.

Część rzeczy należących do ojca, w tym torba, czapka i książka, trafiły do jednostki w Mińsku Mazowieckim. Poproszono mnie, bym przekazała do zbadania jego torbę. Detektory zareagowały pozytywnie. Ale to nie oznacza definitywnego potwierdzenia obecności materiałów wybuchowych. Nitrogliceryna może być też składnikiem kosmetyków, więc to badanie niczego nie przesądziło. Na wiarygodność takich analiz niekorzystnie wpływa czas. Gdyby przeprowadzono je w 2010 roku, wynik byłby bliski stuprocentowej pewności. Albo w jedną, albo w drugą stronę.

Warto było przechodzić przez koszmar ekshumacji?

Gdyby dotyczyło to tylko mojego samopoczucia, wolałabym nigdy nie poznać tych drastycznych szczegółów. Wbrew temu, co sugerował Donald Tusk, naszej rodzinie nie chodziło o zaspokojenie niezdrowej ciekawości. Ekshumacja była nieunikniona, by doprowadzić do ustalenia prawdziwych przyczyn katastrofy.

Jak wytłumaczyć zamianę ciał przy pochówku Ryszarda Kaczorowskiego i Anny Walentynowicz? Brakiem szacunku wobec zmarłych, manipulacjami czy zwykłym bałaganem? Przecież w Moskwie powinni byli zdawać sobie sprawę, że wcześniej czy później to wyjdzie na jaw.

Może ktoś im gwarantował, że trumny w Polsce nie będą otwierane?

Kto?

Wiele rodzin usłyszało od ministra Arabskiego, że trumny nie będą otwierane.

Jaka jest skala fałszerstw?

Przekonamy się o tym dopiero po otwarciu wszystkich trumien.

Było już osiem ekshumacji.

Trudno myśleć o zakończeniu śledztwa bez ekshumacji wszystkich ofiar.

Można je przeprowadzić wbrew woli rodzin?

Kiedy ktoś umiera w niewyjaśnionych okolicznościach, prokuratura nie musi pytać o zgodę bliskich. Także w tym przypadku powinna to zrobić z automatu.

Pani to sobie wyobraża?

Oczywiście.

„W Moskwie mają na mnie całą teczkę"

Pierwszy e-mail przyszedł na moją skrzynkę na początku wakacji 2010 roku. Potem były jeszcze trzy. Wszystkie w języku polskim. Ich autor podpisywał się jako „były oficer rosyjskich służb specjalnych".

Co w nich było?

Anonim pisał, że ma ważne informacje o Smoleńsku i że był to zamach. Chciałby się ze mną spotkać i przekazać całą wiedzę, jaką posiada. Twierdził, że próbował się podzielić tajnymi informacjami z polskimi służbami, lecz one nie wykazały żadnego zainteresowania. Nie wiedziałam, co mam zrobić. Podejrzewałam, że to jakaś prowokacja. Ktoś poradził mi, żebym zgłosiła się do Agencji Bezpieczeństwa Wewnętrznego.

Jak zareagowali w ABW?

Nie mogę mówić o szczegółach. Powiem tylko, że funkcjonariusze zasugerowali mi, bym nie odpowiadała na e-maile, i obiecali, że zajmą się sprawą. Tak zrobiłam. Maile już się nie powtórzyły. Nie było też żadnej informacji zwrotnej od ABW. Zaczęłam się zastanawiać, czy nie był to ruch naszych służb, by pod pretekstem ochrony uzyskać dostęp do mojej skrzynki e-mailowej i by polskie służby mogły inwigilować moje rozmowy telefoniczne.

Rozmawiała pani o tym z Donaldem Tuskiem.

Tak, w przerwie pierwszego spotkania z rodzinami podeszłam do niego. „Czy mogę zapytać o jedną rzecz?" „Proszę, ale musi mnie pani odprowadzić, bo muszę wykonać ważny telefon". Powiedziałam mu, że mam podstawy sądzić, iż jestem podsłuchiwana. Tusk przystanął i stwierdził: „Odpowiedź dostanie pani w poniedziałek. Chyba że Bondaryk mnie okłamie".

To była ironia?

Nie. Wyczułam w jego głosie pełną powagę.

Był miły?

Na sali wobec rodzin bardzo się starał. Gdy podeszłam do niego później, nie wyczułam wielkiej życzliwości. Nie był to ten sam premier, którego widziałam w telewizji.

Kiedy nadeszła oficjalna odpowiedź w sprawie podsłuchu?

W ogóle jej nie dostałam. Od tamtej pory nikt mnie o niczym nie informował ani nie przekazał żadnej odpowiedzi.

Czuje się pani inwigilowana?

Dzisiaj już o tym nie myślę. Przy obecnych technologiach żaden człowiek nie jest w stanie obronić się przed podsłuchem. Na temat Smoleńska publicznie mówię to samo, co przez telefon.

Grożono pani?

Raczej dostawałam sygnały, że lepiej, byśmy jako rodziny odpuściły, bo stanie nam się krzywda.

Od kogo?

Nie mogę na razie o tym mówić. Wiem, że Rosjanie śledzą moje wystąpienia w sprawie Smoleńska. Jeden z polskich urzędników opowiadał mi, że podczas rozmowy w Moskwie pokazali mu, że mają na mnie całą teczkę. Wysypali na biurko wycinki prasowe z moimi wywiadami.

Nie mam złudzeń – wszyscy, którzy szukają prawdy o 10 kwietnia, są pod stałą obserwacją rosyjską, a każda wypowiedź jest archiwizowana i dokładnie analizowana.

Część czwarta

„Nie szukam na siłę dowodów na zamach, ale poszlaki są mocne"

Jarosław Kurski, redaktor naczelny „Gazety Wyborczej", twierdzi, że Jarosław Kaczyński „przez lata odpalał bomby helowe i próżniowe, rozpylał sztuczną mgłę, dobijał rannych i odprawiał inne egzorcyzmy. Niestety, w obliczu bredni racjonalni ludzie milczeli. Komisja Macieja Laska powstała zbyt późno. Skutek: co czwarty Polak wierzy dziś w zamach, a ofiary wypadku bierze za »poległych«".

„Gazeta Wyborcza" zachowuje się jak organ prasowy komisji pana Laska. Poza tym najnowszy sondaż dla tygodnika „wSieci" pokazuje, że liczba Polaków dopuszczających możliwość zamachu zwiększyła się do trzydziestu dziewięciu procent. Jeśli weźmiemy pod uwagę medialną siłę rażenia rządu, to bardzo dużo. Im więcej będzie ludzi myślących samodzielnie, tym lepiej. Bez społecznego wsparcia nie ma szans na odkłamanie tez oficjalnej propagandy.

Wciąż jednak więcej osób, bo prawie połowa badanych, jest przekonanych do wersji rządowej.

W jakimś sensie nawet ich rozumiem. Myślę, że nie przyjmują do wiadomości, że można kłamać w tak bezczelny sposób. I że mogą się do tego uciekać najważniejsze instytucje państwa. Sprawdza się stara prawidłowość, że kłamstwo wielokrotnie powtarzane staje się prawdą. To, co działo się od 10 kwietnia 2010 roku, to był nieustający „zamach na prawdę". Trudno policzyć fałszywe informacje, które nawet po zdementowaniu żyją własnym życiem i tkwią w głowach Polaków.

Generał Aleksander Aloszyn,
szef sił powietrznych FR,
„Fakt", 11 kwietnia 2010 roku:

Załoga prezydenckiego samolotu kilkakrotnie nie wypełniła poleceń kontrolera lotu, nie reagowała na ostrzeżenia. Szef lotów polecił załodze ustawienie samolotu w położenie horyzontalne. Gdy załoga nie wykonała dyspozycji, kilkakrotnie wydał komendę, by samolot udał się na lotnisko zapasowe. Załoga – niestety – nie przerwała zniżania i wszystko skończyło się tragicznie.

* * *

Aleksander Bastrykin –
zastępca prokuratora generalnego Rosji
(za portalem Newsru.com, relacja ze spotkania Władimira Putina ze sztabem operacyjnym):

Zapis rozmów pilotów TU-154, który rozbił się pod Smoleńskiem, wskazuje, że nie bacząc na zalecenia rosyjskiej strony, załoga postanowiła lądować.

* * *

Anonimowy Ekspert,
15 kwietnia 2010 roku, rosyjski dziennik „Kommiersant":

Prawdopodobieństwo katastrofy przy takim lądowaniu było bardzo wysokie. Pilot prezydenckiej maszyny dobrze o tym wiedział. Niemniej poszedł na nieuzasadnione z punktu widzenia wszystkich instrukcji latania i elementarnego zdrowego rozsądku ryzyko.

A konkretnie?

Cztery próby lądowania. Alkohol we krwi dowódcy sił powietrznych. Rzekoma kłótnia generała Błasika z kapitanem Protasiukiem. Naciski na pilotów, żeby lądowali za wszelką cenę. Rozmowa telefoniczna braci Kaczyńskich. Słowa, które rzekomo miał wypowiedzieć Arkadiusz Protasiuk: „Jak nie wyląduję, to mnie zabiją". Takich „newsów", przecieków i plotek było znacznie więcej. Część z nich rozpowszechniano nieświadomie, część z pełną premedytacją. Robili to politycy rządowi, wielu dziennikarzy i tak zwanych ekspertów lotniczych. Niestety, główne media nie były zainteresowane opiniami naukowców, którzy kwestionowali oficjalną wersję, więc ich wypowiedzi nie przebiły się do opinii publicznej.

Ewentualne przeprowadzenie zamachu na terenie Rosji kieruje podejrzenie na to państwo. Czy Rosjanie by tak ryzykowali?

Tylko z pozoru takie zachowanie byłoby nielogiczne. Z punktu widzenia Rosji miejsce katastrofy jest wybrane idealnie. Dochodzi do niej na terytorium, na którym nie można zrobić niczego bez zgody Moskwy. Śledztwo można zatem prowadzić, tak jak się chce.

Zastępca ambasadora Polski w Rosji Tomasz Turowski twierdzi, że najgłupszym pomysłem zamachowca byłoby dokonanie zamachu na własnym terytorium. I gdyby rzeczywiście Putin chciał katastrofy, doprowadziłby do niej gdzieś nad Polską…

… i wówczas mielibyśmy dostęp do całego materiału dowodowego. Wrak i czarne skrzynki byłyby w naszych rękach. Moglibyśmy je zbadać pod każdym kątem.

Nie ma pani dowodów, że w Smoleńsku doszło do podobnego zamachu jak na Ukrainie.

Nie szukam na siłę dowodów na zamach, ale poszlaki są bardzo mocne. To prawda, brak odpowiedzi na wiele pytań nie pozwala niczego stwierdzić na sto procent. Jestem jednak pewna, że poranek 10 kwietnia nie wyglądał tak, jak to opisano w raporcie Millera. Słyszałam, że jedna z zachodnich służb zrobiła notatkę, iż w Smoleńsku przeprowa-

Gene Poteat,
długoletni oficer CIA,
prezes Zrzeszenia Byłych Oficerów Wywiadu
i szef do spraw nowych technologii CIA
w artykule dla „Charleston Mercury",
czerwiec 2010 roku:

Doskonale zorientowany politycznie Kreml dostrzegł, że USA postanowiły się przed nim płaszczyć (tak zwany reset, wycofanie się z obiecanej Polakom i Czechom budowy tarczy antyrakietowej, nasze przyzwolenie na działania Rosjan w Gruzji i na Ukrainie, nasze błagania, by nie pomagali Iranowi i tak dalej) i odebrał to jako zgodę na to, co zrobili Rosjanie przy katastrofie polskiego samolotu. Doszli do wniosku, że nie powiemy ani słowa – i faktycznie nie powiedzieliśmy.

dzono zamach terrorystyczny. Kropka. I zapadła decyzja, że kraj ten nie będzie się mieszał, bo to nie jego sprawa.

To mogą być plotki. Sądzi pani, że sojusznicy posiadający tajne informacje nie przekazaliby ich Warszawie?

Rozmawiałam z dobrze poinformowanym dziennikarzem z Zachodu, znawcą Europy Środkowej i Wschodniej. Powiedział, że są niewielkie szanse, by zachodnie rządy podzieliły się z nami informacjami wywiadowczymi. Zapytał: „Czy ma pani świadomość, że nikt wam nie pomoże?". „Dlaczego?" – zdziwiłam się. „Bo żadne państwo nie kiwnie palcem, aby pomóc PiS wygrać wybory". To jest polityka. Widać ją dobrze, kiedy obserwuje się relacje między Niemcami i Francją a Rosją. Biznes i pieniądze oraz święty spokój i dobrobyt są dla obywateli Zachodu ważniejsze niż prawda o „jakimś tam" Smoleńsku. Jak zachowywał się Zachód przed tym, jak Rosja zajęła Krym i wschodnią Ukrainę? Za cenę robienia kasy dawano Putinowi przyzwolenie na zbrodnicze działania. Choćby zamordowanie Litwinienki. Czy zleceniodawcy tego zabójstwa zostali osądzeni?

Wróćmy do najważniejszych poszlak.

Jest jedna. Fundamentalna. Jeśli państwo, na którego terenie dochodzi do katastrofy, nie ma nic do ukrycia, to zabezpiecza miejsce wypadku, rzetelnie zbiera materiał dowodowy, pobiera próbki gleby i zgodnie ze standardami przeprowadza sekcje zwłok. Profesjonalnie i z najwyższą starannością. Czy może pan pokazać drugi taki kraj, gdzie po to, by znaleźć przyczynę katastrofy, niszczy się wrak samolotu?

To, że Rosjanie nie dochowali standardów, nie przesądza jeszcze, że przeprowadzili zamach. Może chcieli tylko zrzucić z siebie odpowiedzialność za niezamknięcie lotniska i zachowanie kontrolerów?

Na początku rozważałam hipotezę, że lądowanie tupolewa miało się nie odbyć, aby skompromitować w ten sposób prezydenta. Lech Kaczyński miał być jedynie ośmieszony, ale ktoś przedobrzył i doszło do nieumyślnego wypadku. Dziś jestem przekonana, że do katastrofy doszło pod wpływem działania sił zewnętrznych.

Na jakiej podstawie?

Każdemu, kto bez uprzedzeń dokonuje analizy zniszczeń samolotu, narzuca się jedno pytanie. Dlaczego upadający na ziemię z tak niewielkiej wysokości samolot roztrzaskał się w drobny mak? A jeżeli maszyna rozbiła się na tak drobne kawałki, dlaczego jest tyle całych ciał?

„Nie czuję do Tuska nienawiści. Jestem nim załamana"

Putin to człowiek zdolny do wszystkiego. Na początku 2010 roku taką wiedzą powinien był dysponować każdy średnio rozgarnięty polityk. Nie trzeba było mieć dostępu do tajnych depesz wywiadu. Wystarczyło śledzić wydarzenia w Rosji i przeczytać *Korporację zabójców* Felsztinskiego i Pribyłowskiego.

Dziesiątego kwietnia zobaczyliśmy, jak tenże Władimir Putin ze współczuciem obejmuje Donalda Tuska.

Kiedy patrzę na to zdjęcie, wzbiera we mnie żałość. Nie czuję do Tuska nienawiści. Jestem nim załamana. To bardzo znerwicowany człowiek.

Putin mógł być wzruszony.

Takie tłumaczenie jest żenujące. Premier Tusk wygląda, jakby stracił głowę. Po stronie rosyjskiej nie stracił jej nikt.

Gdy tygodnik „wSieci" opublikował zdjęcie, na którym premier Tusk się uśmiecha, powiedziała pani, że jest nim zdruzgotana.

Powiedziałam to, co czułam. Do dzisiaj nie mogę zrozumieć, jak w obliczu tak wielkiej tragedii można tryskać humorem.

Wyraz twarzy może mylić. Człowiek w sytuacji ekstremalnej czasami dziwnie się zachowuje. Pani również to się przytrafiło.

Proszę nie porównywać dwóch różnych sytuacji. Mówiłam o własnej reakcji po stracie człowieka, którego bardzo kochałam. Premier Tusk nie

**Zastępca ambasadora w Rosji
Tomasz Turowski**

w rozmowie z Wirtualną Polską:

W momencie, kiedy doszło do spotkania między premierem Tuskiem i Putinem, byłem w pobliżu i obserwowałem ich. [...] Putin po prostu się wzruszył. To był autentycznie ludzki odruch, niezbyt częsty u polityków. Praktycznie objął premiera Tuska w chwili, gdy tamten prawie upadł.

* * *

Paweł Graś,

„Polska The Times", 11 kwietnia 2014 roku:

[...] wyciąganie wniosków z jakiegoś kompletnie nic nieznaczącego gestu czy grymasu twarzy uważam za cyniczne wykorzystywanie do gry politycznej.

stracił nikogo z najbliższych. To zdjęcie zostało wykonane kilkanaście godzin po katastrofie, obok miejsca, gdzie leżały jeszcze ofiary. Nie wiem, co
mógł powiedzieć mu Putin, aby wywołać taki uśmiech.

**To mógł być grymas twarzy. Zdarzają się reakcje nieadekwatne do sy-
tuacji. Źle dobranym zdjęciem można zdyskredytować każdego.**

Uśmiech na twarzy to jedno. Ale warto spojrzeć na zaciśnięte w charakterystyczne „żółwiki" ręce. Język ciała Donalda Tuska jest jednoznaczny.
To zdjęcie nie jest wyjątkiem. W Internecie można obejrzeć filmik, na któ-

Okładka tygodnika „wSieci" z 28 października 2013 roku

**Ambasador Jerzy Bahr o telefonie do Sikorskiego
w rozmowie z Konradem Piaseckim**
w RMF FM:

K.P.:
Powiedział pan „samolot się rozbił, prezydent nie żyje"?
J.B.:
Nie wiedziałem, czy żyje, czy nie żyje, przecież to nie
można w takim momencie mówić na temat prezydenta. Tylko powiedziałem, że nastąpiła katastrofa i że
widzę tutaj przed sobą szczątki zupełne.

* * *

**Bronisław Komorowski w rozmowie
z Teresą Torańską, _Smoleńsk_:**

Sikorski powiedział, że ma wiadomość od Bahra […], że
doszło do wypadku prezydenckiego samolotu. Ale nie
wie, z jakimi konsekwencjami.

rym widać, jak rozbawieni byli panowie Komorowski i Tusk, gdy na płycie lotniska czekali na kolejne trumny z Moskwy. Pamiętam, że zachowaniem Bronisława Komorowskiego w pierwszych godzinach po katastrofie zażenowany był nawet jeden z polityków SLD.

* * *

Zaraz po katastrofie minister Sikorski zadzwonił do Jarosława Kaczyńskiego. Powiedział, że nikt nie przeżył, a zawinili piloci. W głowie się nie mieści, że można przekazywać tak kategoryczne informacje zaledwie kilkadziesiąt minut po zdarzeniu.

Minister oparł się na informacjach ze Smoleńska.

W tym momencie minister Sikorski nie mógł wiedzieć, co naprawdę się zdarzyło. Nie mógł być pewien, że wszyscy zginęli. Skąd dowiedział się, że przyczyną katastrofy były błędy załogi? Kto mu to powiedział? Nie miał prawa zrzucać winy na pilotów.

W takich momentach zawsze jest informacyjny chaos.

Nie można tłumaczyć wszystkiego chaosem. Gdyby Sikorski wycofał się z tych słów, powiedziałabym: „Okej, trudno, w tym chaosie powiedział, co wiedział". Lecz wersja, która pojawiła się zaraz po rozbiciu samolotu, jest aktualna do dzisiaj. Rosjanie z premedytacją puścili w świat narrację o winie pilotów, a nasze władze z pełnym zaufaniem ją podjęły. Jest też możliwy wariant, że wsparły ją w pełni świadomie. Nikt nie reagował na wypowiedzi przedstawicieli Rosji. Nie było słowa protestu, że dywagacje o błędach załogi są zdecydowanie przedwczesne. Było gorzej. Rosyjską wersję zaczęli powielać polscy ministrowie, dziennikarze i eksperci. To wygląda na z góry ułożony scenariusz.

Dwa dni po katastrofie w „Tygodniku Powszechnym" ukazuje się list *Spasiba*, którego współautorem jest Bartłomiej Sienkiewicz. Z kolei Andrzej Wajda i Adam Michnik apelują o zapalenie zniczy na grobach żołnierzy Armii Czerwonej. Jak pani przyjęła te gesty?

Od zwykłych Rosjan doświadczyliśmy wiele życzliwości. Kwiaty przed polską ambasadą czy emisja *Katynia* w rosyjskiej telewizji to ważne gesty, dlatego podziękowania z naszej strony były naturalne. Nikt przy zdrowych zmys-

List *Spasiba* opublikowany w „Tygodniku Powszechnym",
podpisany między innymi przez
Bartłomieja Sienkiewicza
i księdza Adama Bonieckiego:

Spasiba! My, obywatele Polski, która przez ostatnie sie-
demdziesiąt lat wciąż nie pogodziła się z utratą swoich najlepszych synów zamordowanych w lesie katyń-
skim, zwracamy się do obywateli Federacji Rosyjskiej
z podziękowaniami i apelem o pojednanie. […] Zbrod-
nia dokonana na polskich oficerach w 1940 roku podzieliła nasze narody na pokolenia. Teraz stoimy pora-
żeni krwią współczesnych, która po raz kolejny wsiąkła
w tę samą ziemię. Oba wydarzenia łączy miejsce i ból,
ale o ile pierwsze było wynikiem stalinowskiego ter-
roru, dotykającego także samych Rosjan, drugie było
nieszczęściem, za które nie można winić gospodarzy.

łach tego nie kwestionuje. Natomiast list Bartłomieja Sienkiewicza był niepotrzebny, a przedstawiona w nim analiza nietrafna. To wystąpienie – świadomie, bądź nie – stało się elementem akcji dezinformacyjnej, jaką prowadziła Rosja.

Jarosław Kaczyński również wziął w niej udział, nagrywając specjalne orędzie do braci Rosjan?

Kaczyński mówił o elementarnej wdzięczności za solidarność Rosjan z rodzinami ofiar. Sienkiewicz poszedł o krok dalej. Przesądził, że Rosja nie odpowiada za to, co się stało. Jak inaczej odebrać słowa, że „katastrofa była zwykłym nieszczęściem, które nie obciąża państwa rosyjskiego"?

Przy takich emocjach i ograniczonej wiedzy łatwo jest napisać o jedno zdanie za dużo.

Pod tymi słowami podpisał się człowiek, który powinien znać metody KGB i ich spadkobierców we współczesnej Rosji. W końcu jest oficerem polskiego kontrwywiadu i to on zakładał Ośrodek Studiów Wschodnich. Tylko brak wiedzy by go usprawiedliwiał.

Zapaliła pani świeczkę na grobach żołnierzy radzieckich?

Nie, ponieważ ta akcja szła za daleko. Zapytałabym pana Michnika, czy za piękny przejaw solidarności, jaką Niemcy z RFN okazali Polakom w stanie wojennym – mówię o transportach z darami – powinniśmy byli zapalić świeczki na mogiłach żołnierzy Wehrmachtu. To absurd. Nie wiem, czy inicjatorzy tego apelu zdawali sobie sprawę, że relatywizują naszą historię.

Pani również mogła się przekonać o życzliwości mieszkańców Moskwy.

Owszem. To dziwna historia. Kiedy wróciłam po kilkugodzinnym przesłuchaniu do moskiewskiego hotelu, w recepcji czekał pewien mężczyzna. Nasz dyplomata przedstawił go jako Niemca, który chce pokazać mi Moskwę nocą. W geście współczucia i solidarności. Słaniałam się na nogach i nie miałam nastroju do zwiedzania, ale nie chciałam sprawić mu przykrości. Tym bardziej że podobno czekał na mnie parę godzin. We trójkę, w towarzystwie pracownika ambasady, objechaliśmy w pół godziny centrum miasta. Już po powrocie do Polski zaczęłam się zastanawiać, czy nie był to dalszy ciąg przedstawienia z udziałem rosyjskich służb. Pokazywanie murów Kremla zaraz po identyfikacji ojca jest cokolwiek dziwne.

Z listu rosyjskich dysydentów, sygnowanego przez
**Aleksandra Bondariewa, Władimira Bukowskiego,
Wiktora Fajnberga, Natalię Gorbaniewską
i Andrieja Iłłarionowa, do premiera Tuska,**
„Rzeczpospolita", maj 2010 roku:

Powstaje wrażenie, że władze rosyjskie nie są zainteresowane wyjaśnieniem wszystkich przyczyn katastrofy, zaś władze polskie powtarzają zapewnienia o „pełnej otwartości" strony rosyjskiej, niczego się od niej faktycznie nie domagając, i tylko cierpliwie oczekują, aż z Moskwy nadejdą dawno obiecane im materiały. Trudno się pozbyć wrażenia, że dla rządu polskiego zbliżenie z obecnymi władzami rosyjskimi jest ważniejsze niż ustalenie prawdy w jednej z największych tragedii narodowych. Wydaje się, że polscy przyjaciele wykazują się pewną naiwnością, zapominając, że interesy obecnego kierownictwa na Kremlu i narodów sąsiadujących z Rosją państw nie są zbieżne. Jesteśmy zaniepokojeni tym, że w podobnej sytuacji niezależność Polski i dzisiaj, i jutro może się okazać poważnie zagrożona.

* * *

Premier Donald Tusk,
konferencja prasowa, 25 maja 2010 roku:

To w Polsce będziemy definiowali potrzeby państwa polskiego – przy całym szacunku dla rosyjskich dysydentów. Śledztwo w sprawie katastrofy smoleńskiej jest najbardziej otwartym i z największym dostępem opinii publicznej do informacji.

Miesiąc po katastrofie list do premiera napisali rosyjscy dysydenci, ostrzegając go przed Kremlem.

I co zrobił Donald Tusk? Potraktował ich na zasadzie „lepiej się nie wtrącajcie" i powtórzył peany na temat śledztwa prowadzonego przez Rosjan. Ten list ma niebagatelne znaczenie. Dziś Tusk i jego ministrowie nie mogą się tłumaczyć, że nikt ich nie ostrzegał. Zrobili to bardzo wcześnie ludzie, którzy znali Rosję i wiedzieli, do jakich rzeczy zdolny jest Kreml. Reakcja premiera to kolejny dowód, że nie było przypadku. Istniał scenariusz wtłaczania w świadomość Polaków hipotezy o winie pilotów. To niemożliwe, by Donald Tusk był aż tak naiwny.

Może zdał sobie sprawę z błędów, ale – jak czyni wielu polityków – brnął w obronę wcześniejszych decyzji?

Kiedy powstał ten list, jeszcze nie wszystko było przesądzone. Memorandum w sprawie oddania Rosji czarnych skrzynek zostało podpisane dopiero 31 maja. W trzecim, czwartym, piątym tygodniu po katastrofie można było powiedzieć: „stop, współpraca się nie układa, prosimy świat o wsparcie". Można wyobrazić sobie inną taktykę. Milczymy, ale nieoficjalnymi kanałami próbujemy wywrzeć na Moskwę presję, angażując w to naszych sojuszników. Tworzymy dyplomatyczny front i przekazujemy sygnał: „Moskwa blokuje nam dostęp do wszystkiego, pomóżcie". Ktoś słyszał o takich działaniach? Ja nie.

Paweł Kowal uważa, że rząd Tuska przyjął metodę nieprzyznawania się do żadnego błędu, ponieważ bał się, że wykorzysta to Jarosław Kaczyński. I powie, „no właśnie, potwierdza się wszystko, co mówiłem". Poza tym PiS przeprowadził – według Kowala – kompletnie absurdalny atak na Tuska za to, że się uściskał z Putinem.

Uścisk z Putinem był pewnym symbolem. Nie chodzi jednak o ten jeden gest, lecz o masę błędów, które popełnił Tusk.

Może rząd chciał wyciszyć nastroje? Sam słyszałem takie opinie: „Jeśli winni są Rosjanie, to co zrobimy? Wojnę im wypowiemy?".

To śmieszne argumenty. Władza wzniecała w Polakach obawy przed wojną, choć nikt o wojnie nie myślał. Po katastrofie władza wolała zagrać z Rosją niż z własną opozycją.

**Tusk znalazł się w takiej sytuacji, że kiedy popełniał błędy, był oskar-
żany o zdradę. Nie miał swobody ruchu i bał się cokolwiek zmieniać
w działaniach wobec Rosji.**

To Donald Tusk rządził krajem i powinien działać zgodnie z interesem
kraju, a nie oglądać się na to, co powie PiS. W tamtym czasie Platformy nie
interesowało nic poza wyborami. Wszystko było podporządkowane wygra-
nej Bronisława Komorowskiego.

Po tym, co zrobili w pierwszych tygodniach po katastrofie, muszą
codziennie powtarzać sobie przed snem, że postąpili słusznie. Każdego
dnia muszą się usprawiedliwiać sami przed sobą. Inaczej by zwariowali.

„Dlaczego nie tłumaczą się ci, którzy wtedy rządzili?"

**Były szef GROM generał Roman Polko uważa, że nie tylko rząd nie za-
chował się, jak należy. Antoni Macierewicz również. Zamiast wracać
z Katynia do Polski pociągiem, powinien był przyjechać na miejsce katastrofy.**

Z tego, co wiem, poseł Macierewicz chciał zostać w Rosji, ale dostał
telefon, by wracać do Polski. Pamiętajmy też, w jakim szoku byli ludzie
oczekujący na prezydenta w Katyniu. Przyjechali uczcić ofiary zbrodni
sprzed siedemdziesięciu lat i nagle dowiadują się, że ginie głowa państwa.

**Podobno wracał, aby zabezpieczyć dokumenty, jakie znajdowały się
w siedzibie BBN, a dotyczyły aneksu do raportu WSI.**

Nie znam sprawy, więc nie będę się wypowiadać.

**Czy nie popełnił błędu? Tomasz Turowski mówi, że z paszportem dyplo-
matycznym bardzo by się na miejscu katastrofy przydał.**

Nie byłam w Katyniu, ale znam relacje uczestników uroczystości. Nie
mogli się całkiem swobodnie poruszać. Poza tym działali w wielkim stresie.

Swoje błędy rząd Tuska również tłumaczy stresem.

Nie widzi pan różnicy między tym, co mogą ludzie władzy, a co może
opozycja? Dlaczego ma się tłumaczyć ktoś, kto nie miał żadnych uprawnień
ani pełnomocnictw? Dlaczego nie tłumaczą się ci, którzy stali na czele pań-

**Ewa Kopacz w rozmowie
z Teresą Torańską,**
Smoleńsk (Warszawa 2013):

E.K.:
Pamiętam, że byli Graś, Arabski, Ostachowicz i ja.
Tylko ci, którzy mogli być do czegoś przydatni
w perspektywie paru następnych godzin.
T.T.:
Do czego?
E.K.:
Nikt nie wiedział, jak będą wyglądać kolejne go-
dziny, jakie informacje będą spływać.

Spotkaliśmy się więc przy okrągłym stole w gabinecie premiera. Premier Tusk przybity. Moi koledzy, twardzi faceci, siedzą ze spuszczonymi gło-
wami, zupełnie odrętwiali. Żaden się nie odzywa.
Nikt nie wie, co powiedzieć. Bo i o czym tu mówić?!
Ponura cisza. I nagle wchodzi Michał Boni i mówi,
że dzwonią rodziny ofiar, chcą jechać do Moskwy
i pytają, czy premier może im w tym pomóc.

stwa? To przecież Tusk, Arabski i Kopacz reprezentowali Polskę, a nie pan Macierewicz.

Nigdy nie miałam pretensji do premiera, że nie wiedział, co w takim momencie robić. Stawiam mu o wiele cięższy zarzut. Donald Tusk nie zwołał sztabu i nie zebrał fachowców, którzy doradziliby mu, jak mamy się zachować wobec Rosji. Nie do wyobrażenia jest to, że nie odbyło się żadne posiedzenie rządu, na którym zatwierdzono by procedury wyjaśniania katastrofy.

Dziesiątego kwietnia odbyła się w gabinecie premiera specjalna narada.

Czytałam opowieść pani Kopacz o tym, jak siedzieli przy stole i milczeli. Czy zwrócił pan uwagę na skład personalny narady? Nie było tam ani jednego szefa resortów siłowych, ani przedstawiciela służb specjalnych, nikogo od bezpieczeństwa. Był za to główny spec od propagandy. Widocznie premier uznał, że państwo nie jest zagrożone, a jedynym problemem są notowania rządu. Parę dni później obwieszczono narodowi, że państwo poradziło sobie z katastrofą. Z pewnością. Bardzo szybko obsadziło wszystkie wakaty po ofiarach.

Czy to, że na czele zespołu parlamentarnego stoi Antoni Macierewicz, nie szkodzi sprawie wyjaśnienia katastrofy?

Antoni Macierewicz krok po kroku realizuje funkcję niezależnego organu śledczego.

Nie dostrzega pani jego błędów? Przez ostatnie pięć lat często zmieniał wersje wydarzeń z 10 kwietnia.

Nie widzę w jego wypowiedziach sprzeczności. Cały czas trwają prace ekspertów, dochodzą nowe badania, nieznane wcześniej szczegóły. To, co mówi dzisiaj, że doszło do dwóch eksplozji, ma pokrycie w materiale dowodowym.

Macierewicz mówił o zdradzie narodowej Tuska i jego rządu. Oskarżał go o najcięższą zbrodnię. Mówił tak, nie mając dowodów.

Mogę być mu jedynie wdzięczna za to, że podjął się tak trudnego zadania. W sytuacji, gdy media wycierają sobie jego nazwiskiem buty. To między innymi determinacja Macierewicza sprawiła, że prokuratura nie umorzyła śledztwa. Przy takim stanie materiału dowodowego, który jest wręcz wyszarpywany spod ziemi, mogą się pojawić błędy. Eksperci analizują hipotezy na bieżąco. Obiektywny obserwator musi przyznać, że dokonali bardzo dużo, nie mając oficjalnego dostępu do materiałów prokuratury. I to bez wsparcia jakiejkolwiek instytucji państwa.

Nie lepiej, gdyby na czele zespołu stał człowiek o innym temperamencie? Ludzie mogą odrzucać logiczne wnioski zespołu, bo mają krytyczny stosunek do Macierewicza.

To bardzo naiwne myślenie. Każdy, kto byłby na jego miejscu, spotkałby się z podobnym atakiem i szybko dorobiono by mu gębę.

Szef takiego zespołu powinien częściej zadawać pytania, niż kategorycznie stwierdzać, jak było.

Jarosław Kaczyński powiedział o Macierewiczu, że do ekstremalnej sprawy potrzebny jest ekstremalny człowiek. Zgadzam się. Sprawa Smoleńska jest ponadstandardowa. Ktoś, kto się nią zajmuje, musi mieć wyjątkowe cechy. Macierewicz takie posiada.

Lech Kaczyński mówił, że Macierewicz „ma jedną przypadłość: nie odróżnia swoich interpretacji od faktów, a tez publicystycznych od twardych dowodów".

Prezydent powiedział to w kontekście aneksu do raportu WSI. Ale dodał, że Macierewicz jest odporny na „wdzięki oficerów WSI" i „niezastąpiony w odsłanianiu patologii wojskowych służb specjalnych". Mogę to powtórzyć. Antoni Macierewicz jest odporny na kłamstwa w sprawie Smoleńska i niezastąpiony w odsłanianiu patologii państwa. Jego upór posuwa śledztwo do przodu.

Prawda o Smoleńsku mogłaby dotrzeć do ludzi, gdyby częściej zadawano pytania, a nie uciekano się do oskarżeń.

To rzecz niesłychana, że dziennikarze każą się tłumaczyć ludziom, którzy szukają prawdy, a nie zadają pytań Tuskowi, Kopacz i Sikorskiemu. Oni w sprawie Smoleńska skłamali niejeden raz.

Suchej nitki na Antonim Macierewiczu nie zostawia mecenas Rafał Rogalski. Zarzuca mu, że głosi nieprawdziwe tezy, bo specjaliści wielokrotnie badali wrak samolotu i nie mogło dojść do fałszerstwa.

Gdyby Rafał Rogalski miał dostęp do akt, takich słów by nie użył. Zorientowałby się, że prawda jest inna. Zastanawiam się, gdzie jest granica łamania przez niego kodeksu etyki adwokackiej. Obrońca nie może występować przeciw klientowi, którego sprawy prowadził.

Może przejrzał na oczy i nie chce milczeć?

Osoba Macierewicza nie ma tu znaczenia. Ja również – tak jak mecenas Rogalski – składałam ślubowanie adwokackie i obowiązują nas pewne standardy. Tak jak lekarzy czy księży. Prędzej poszłabym do więzienia, niż ujawniłabym tajemnicę adwokacką. Mecenas Rogalski łamie zasady.

Dlaczego to robi?

Nie wiem. Na pewno nie zachowuje się jak profesjonalny pełnomocnik. Za to, co ujawnił, może mu grozić zakaz wykonywania zawodu. Jest mi z tego powodu przykro, ponieważ do momentu jego niezrozumiałej wolty pozostawaliśmy w dobrych relacjach.

„W oczach pracownika ambasady widziałam przerażenie"

Śledztwo w sprawie organizacji lotów do Smoleńska zostało umorzone.

Trudno pogodzić się z tą decyzją. Uzasadnienie sądu, który nakazał prokuraturze ponowne rozpatrzenie sprawy, to jedno wielkie oskarżenie urzędników państwa, którzy – jak napisał Andrzej Grajewski – opuścili swego prezydenta.

Pamiętam scenę z Moskwy, kiedy jechaliśmy do Instytutu Medycyny. Pracownik polskiej ambasady opowiadał nam, jak zaraz po katastrofie dostali informację, że trzy osoby przeżyły. Pobiegli po samochód, by dostać się do szpitala, lecz Rosjanie ich zawrócili, mówiąc, że to nieprawda. W oczach tego pana widziałam przerażenie.

Wciąż przeżywał tragedię?

Nie w takim sensie, jak myślałam. Powtarzał słowa, których nie rozumiałam. „My nie zdawaliśmy sobie z tego sprawy. Naprawdę tego nie chcieliśmy" – mówił. I tak na okrągło.

Kto i z czego nie zdawał sobie sprawy?

Nie kończył zdania, a ja nie miałam nastroju do przepytywania. Byłam pochłonięta myślami, żeby odnaleźć tatę i zabrać go do kraju. Dziś sądzę, że chodziło mu o grę, jaka toczyła się wokół Lecha Kaczyńskiego. Może chciał dać do zrozumienia, że nie zdawał sobie sprawy, iż torpedowanie wizyty prezydenta może się skończyć tak tragicznie.

Czuł się winny?

Nie wiem, czy mówił o sobie, czy o dyplomatach, którzy pracowali nad rozdzieleniem wizyt premiera i prezydenta. Przy moim krytycznym stosunku do Donalda Tuska nie sądzę, by miał świadomość, że ktoś 10 kwietnia zginie.

Wróćmy do śledztwa. Jak prokurator ocenił organizatorów lotu?

Ocena tych ludzi jest – w świetle dokumentów – miażdżąca.

Nie na tyle jednak, żeby postawić im zarzuty.

Doceniam pracę prokuratorów, ale popełnili błąd. Kilku urzędnikom można było postawić zarzut niedopełnienia obowiązków z artykułu 231. Prokuratorzy uznali, że wprawdzie urzędnicy Kancelarii Premiera i MSZ zlekceważyli prezydenta oraz dążyli do obniżenia rangi wizyty, lecz nie można postawić im zarzutów, gdyż nie chcieli doprowadzić do katastrofy. Prokuratura się pomyliła. Gdyby mieli taki zamiar, musieliby odpowiadać z o wiele cięższych paragrafów. Albo za doprowadzenie do katastrofy, albo za nieumyślne spowodowanie śmierci. W tym przypadku swoim działaniem doprowadzili do szkody zarówno w interesie publicznym, jak i prywatnym. Zginęło dziewięćdziesiąt sześć osób i my jako rodziny realizujemy prawa pokrzywdzonych.

Rząd ukrywał informacje przed prezydentem Kaczyńskim?

Z dokumentów to jasno wynika. Opóźniał przekazanie informacji o przygotowaniach do wizyty albo w ogóle ich nie dostarczał. Prezydent nie dostał wiadomości, którymi dysponował MSZ, że Moskwa jest nieprzychylna jego wizycie w Katyniu. Nikt go nie powiadomił o negocjacjach prowadzonych za jego plecami z rządem Putina. Decydując się w lutym i marcu 2010 na zakulisowe rozmowy w moskiewskiej restauracji „Dorian Gray" z panami Uszakowem i Sieczynem, minister Tomasz Arabski pozostawił faktycznie w rękach Moskwy decyzję co do wyboru partnerów spotkań po stronie polskiej.

Nie wiemy, o czym Arabski rozmawiał z Rosjanami. To mogły być techniczne ustalenia, a nie spiskowanie przeciw Lechowi Kaczyńskiemu.

Bardzo chciałabym poznać prawdziwą treść tych rozmów. Tym bardziej, że została z nich wyproszona polska tłumaczka. Przed wizytą Lecha Ka-

**Nikita Pietrow, rosyjski historyk
i wiceszef Memoriału –**
organizacji pozarządowej dokumentującej
zbrodnie stalinowskie i broniącej praw człowieka
w Rosji, 4 lutego 2010 roku – Polska Agencja Prasowa:

Zaproszenie do Katynia Donalda Tuska to ze strony
Kremla zabieg, by obniżyć rangę uroczystości jedynie do szczebla premierów. To przebiegłe posunięcie
Kremla. Wszak do Katynia mógłby przyjechać prezydent Polski. A tak Kreml daje do zrozumienia, że można
się ograniczyć do szczebla premierów.

* * *

**Rozmowa Władimira Grinina
z Walerijem Mastierowem**
z dziennika „Wriemia Nowostiej" z 15 marca 2010 roku:

[…] Z goryczą musimy odbierać na przykład opinie
o tym, iż zaproszenie D. Tuska przez W. Putina jest „niejako intryżką" Moskwy, jakąś głęboko przemyślaną akcją, mającą na celu poróżnienie prezydenta i premiera
Polski. Wydaje mi się, że tego rodzaju mędrkowanie
świadczy albo o niezrozumieniu tego, co się dzieje,
albo o umyślnej chęci „podstawienia nogi" rozwojowi
stosunków polsko-rosyjskich, oczernienia tego szlachetnego gestu uczynionego przez stronę rosyjską.

czyńskiego w Brukseli Donald Tusk powiedział otwarcie, że „nie potrzebuje prezydenta". Identyczną politykę realizował później w stosunkach z Rosją.

Już w grudniu 2009 roku minister Handzlik z Kancelarii Prezydenta ostrzegał rząd, że Rosja może nas rozgrywać. Chciał, aby wspólnie ustalić plan obchodów w Katyniu i rangę polityków, którzy tam mieli jechać.

Po rozmowie 8 grudnia 2009 roku z ambasadorem Rosji w Warszawie Władimirem Grininem, minister Handzlik sporządził notatkę, którą Kancelaria Premiera i MSZ zignorowały. Tymczasem Grinin kłamał, że nie dostał informacji o tym, że prezydent Kaczyński 10 kwietnia chce być w Katyniu. Słowa ambasadora nie spotkały się z ripostą rządu. Czy można było na nią liczyć, skoro minister Sikorski publicznie mówił, że prezydent „niepotrzebnie pcha się do Katynia"? Można odnieść wrażenie, że Tusk współpracował z Putinem w celu ograna Kaczyńskiego.

Używa pani mocnych słów, ale to mogła być jedynie realizacja odmiennej od prezydenta wizji polityki zagranicznej.

Z postępowania prokuratury wynika, że wizyta Kaczyńskiego była planowana wcześniej niż podróż Tuska. Jest pytanie, czy nie doszło do zdrady stanu. Z pewnością była próba wykluczenia prezydenta z ważnego wydarzenia, przy współdziałaniu premiera obcego państwa. W marcu i na początku kwietnia strona rosyjska ponaglała i pytała o to, jaki charakter będzie miał lot prezydenta. Polska ociągała się z odpowiedzią. Rosyjscy świadkowie zeznawali, że od początku mówili ludziom Donalda Tuska, iż Lech Kaczyński jest przez nich niemile widziany i nie będą się nim zajmować.

Dlaczego Tuskowi miałoby bardziej zależeć na dobrych relacjach z Putinem niż z własnym prezydentem?

Być może premier chciał ugrać dwie rzeczy. Dobrze wiedział, jak prezydent – zwłaszcza po wojnie w Gruzji – postrzega Rosję i jak na prezydenta patrzy Kreml. Mógł uznać, że wróg naszego wewnętrznego wroga, czyli Putin, jest naszym przyjacielem. Marginalizując wizytę Kaczyńskiego w Katyniu, chciał też osłabić jego szanse w zbliżających się wyborach prezydenckich. Ludzie dostali prosty komunikat: „Zobaczcie, Kaczyński potrafi się tylko kłócić z sąsiadami. My jesteśmy mądrzejsi i skuteczniejsi, ponieważ

**Donald Tusk
po wizycie w Moskwie**
w 2008 roku:

Uzyskaliśmy najważniejszą rzecz: elementarne zaufanie zarówno na szczeblu państwowym, jak i w relacjach osobistych.

* * *

**Donald Tusk dla TVN24,
po wizycie w Moskwie**
w lutym 2008 roku:

Uzgodniliśmy, że jedna prawda musi obowiązywać w relacjach polsko-rosyjskich. Jeśli pojawiają się problemy. Ba! Im więcej jest problemów, gdzie zdania są różne, tym bardziej trzeba rozmawiać. Relacje między naszymi państwami nie mogą polegać na tym, że jak jest nieporozumienie to odwracamy się plecami. Bo z tego będą tylko kłopoty.

* * *

**Donald Tusk po zakończonym spotkaniu
z premierem Rosji Władimirem Putinem,**
PAP, 29 stycznia 2009 roku:

Ludzie są mądrzejsi od polityki i wolą rozwijać dobrosąsiedzkie stosunki bez emocji towarzyszących polityce.

budujemy świetne relacje z Moskwą". W tym wszystkim, niestety, nie wzięli pod uwagę tego, kto w tych rozmowach był ich partnerem.

Byli naiwni?

Mam złe zdanie o politykach Platformy, lecz nie oskarżam ich o udział w organizacji zamachu. Oni „tylko" rozpoczęli grę przeciw prezydentowi. Już to, samo w sobie, jest paskudne. Okazali się słabi i nieudolni, ale nie twierdzę, że są mordercami. Być może nie zdawali sobie sprawy, że wpadną w pułapkę zastawioną przez Rosję i staną się jej zakładnikami. Rozmawiając z Putinem, nie można samemu chodzić w krótkich spodenkach.

Czy to, co działo się przed 10 kwietnia, miało wpływ na zachowanie rządu po katastrofie?

Tak. Lekceważenie Lecha Kaczyńskiego nie skończyło się po jego śmierci. Ostatnie pięć lat w temacie Smoleńska to kontynuacja tego, co rząd robił wcześniej.

Jaka jest odpowiedzialność Biura Ochrony Rządu?

Na ławie oskarżonych zasiadł Paweł Bielawny, były wiceszef BOR. Tylko dlaczego nie ma tam jego przełożonych?

Bielawny to kozioł ofiarny?

Nie wiem. Do pewnego momentu Bielawny dzielił się z prokuraturą ciekawymi informacjami. Wylewność skończyła się, gdy otrzymał zarzuty. Największa odpowiedzialność spoczywa na generale Marianie Janickim. To on kierował Biurem, które miało sprawdzić samolot, stan lotniska i zapewnić prezydentowi bezpieczeństwo. Pan Janicki nie tylko nie stracił stanowiska, lecz dostał awans na generała. Kiedy w końcu odszedł z BOR, dostał atrakcyjną posadę w państwowej spółce. A w tym przypadku tylko dymisja byłaby honorowym rozwiązaniem. Fakt, że nie zdołał uratować prezydenta – nie przesądzając o jego osobistej winie – jest decydujący. Nie umiał uderzyć się w piersi.

Rzuca się w oczy różnica standardów w Polsce i USA. Gdy na trawnik Białego Domu wpadł szaleniec z nożem, szefowa Secret Service natychmiast zrezygnowała. Po Smoleńsku pan Janicki rządził BOR-em jeszcze trzy lata. Barack Obama cieszy się nadal świetnym zdrowiem, Lech Kaczyński nie żyje od pięciu lat.

Donald Tusk, Bruksela,
17 grudnia 2010 roku:

Projekt raportu MAK jest bezdysku-
syjnie nie do przyjęcia. [...] Jednocześnie nie może być mowy o żadnym
zwrocie w kontaktach polsko-rosyjskich.

„Można było wystąpić o przejęcie śledztwa, jednak Warszawa nie zrobiła nic"

Na kilka tygodni przed publikacją rosyjskiego raportu premier Tusk oświadczył, że projekt, jaki dostała Polska od MAK, jest nie do przyjęcia. Wierzył, że można zmienić jego kształt?

Polska, akceptując śledztwo według 13 załącznika konwencji chicagowskiej, skazała się na rolę petenta wobec Rosji. To rząd Tuska doprowadził do tak niekorzystnej dla nas sytuacji prawnej.

Kiedy jednak usłyszałam słowa premiera, pomyślałam, że „lepsze to niż nic". Pojawiła się nadzieja, że Rosjanie choć odrobinę się cofną.

Tusk liczył, że polskie uwagi zostaną uwzględnione?

Do 12 stycznia 2011 roku był przekonany, że Rosjanie zachowają elementarną przyzwoitość. I napiszą w raporcie, że za katastrofę odpowiadają obie strony. Skoro „jesteśmy przyjaciółmi" i daliśmy Rosji wolną rękę, to sporządzą zgrabnie coś, co byłoby dla nas do przyjęcia. Tak żeby wilk był syty i owca cała. Tak zapewne myślał Tusk. Ale się przeliczył.

Raport obciążył w stu procentach stronę polską. Pilotów oraz generała i prezydenta, którzy mieli wywierać presję na załogę, aby lądować w Smoleńsku. MAK stwierdził, że za żadne z uchybień nie odpowiada Rosja.

Rosjanie pokazali swoją prawdziwą twarz. Zaatakowali dobre imię ludzi, którzy polegli w Smoleńsku. Uderzyli raportem w honor polskiego prezydenta, polskiego generała i polskich pilotów. Moskwa nie musiała prze-

**Prezydent Rosji Dmitrij Miedwiediew
na konferencji prasowej po spotkaniu
z Bronisławem Komorowskim,**
6 grudnia 2010 roku:

Nie dopuszczam możliwości, by w sprawie katastrofy smoleńskiej śledczy polscy i rosyjscy doszli do różnych ustaleń. Odpowiedzialni politycy, przywódcy struktur śledczych, powinni wyjść z obiektywnych danych. We wszelkich sprawach karnych należy przeprowadzić pełne śledztwo w oparciu o drobiazgową analizę dostępnych faktów.

* * *

**Raport MAK (Międzypaństwowego Komitetu Lotniczego)
kierowanego przez generał Tatianę Anodinę,**
12 stycznia 2011 roku, Moskwa:

Bezpośrednimi przyczynami katastrofy były nieodejście od lądowania mimo złych warunków, nieuwzględnienie komunikatów TAWS oraz presja na załogę. Wykluczono eksplozję, pożar lub awarię na pokładzie, a także niesprawność maszyny. Tatiana Anodina oświadczyła, że „obecność w kabinie dyrektora protokołu dyplomatycznego MSZ Mariusza Kazany i dowódcy sił powietrznych generała Andrzeja Błasika oraz przewidywana negatywna reakcja prezydenta Lecha Kaczyńskiego stanowiły presję na załogę TU-154M, by lądować w Smoleńsku". Na nagraniach czarnych skrzynek nie ma zapisu poleceń prezydenta Kaczyńskiego, a wniosek o presji psychicznej, pod którą była załoga, został wysnuty na podstawie jej rozmów. Według MAK, TU-154 schodził na lotnisko zbyt stromo i ze zbyt dużą prędkością. Zderzenie z przeszkodą nastąpiło poniżej wysokości pasa startowego. Badania MAK stwierdziły obecność alkoholu we krwi generała Błasika.

* * *

Premier Donald Tusk,
13 stycznia 2011 roku:

Raport MAK jest niekompletny, [będą] rozmowy z Rosją o ustalenie wspólnej wersji. [...] Nie kwestionujemy żadnych istotnych ustaleń raportu MAK. Podnosimy tylko kwestie pewnych braków, uchybień zarówno o charakterze proceduralnym, jak i tych, które odnoszą się do pracy wieży kontrolnej czy stanu lotniska. I nie po to, żeby przerzucać na siłę na kogokolwiek odpowiedzialność. My tę część odpowiedzialności za przyczyny katastrofy będziemy brali na siebie. Druga strona powinna także mieć tę odwagę i gotowość do pokazania całości obrazu.

cież ogłaszać kłamstw, że we krwi Andrzeja Błasika był alkohol. Z jakiegoś powodu jednak to uczyniła. A chwalący Rosjan za współpracę Donald Tusk kolejny raz został wystrychnięty na dudka.

Po powrocie z urlopu premier zapowiedział, że odwołamy się od raportu. To był sygnał, że nie godzimy się na ustalenia Rosjan.

To była wypowiedź podyktowana potrzebą chwili. Zwykły PR na użytek krajowy spowodowany lekką histerią. Myślę, że ogłoszenie raportu MAK w takim kształcie bardzo niemile zaskoczyło Tuska, wypoczywającego na nartach w Dolomitach. Warto przypomnieć, co dokładnie powiedział wtedy premier. Stwierdził, że „nie kwestionuje żadnych ustaleń MAK". Tylko na takie słowa było stać szefa rządu suwerennego państwa.

Zapowiedź odwołania się do instytucji międzynarodowych była jednoznaczna.

Nie wierzę, żeby Tusk był aż tak niekompetentny i nie wiedział, że organizacja lotnicza ICAO zajmuje się wyłącznie lotami cywilnymi. A skoro tak, to Polska nie ma żadnego prawa do odwołania. Premier starał się jesz-

Tatiana Anodina – szefowa MAK, i Edmund Klich – akredytowany przy MAK, Moskwa (fot. Sergei Chirikov/PAP/EPA)

Artykuł 3 konwencji chicagowskiej:

a) Niniejsza Konwencja stosuje się wyłącznie do cywilnych statków powietrznych, nie stosuje się zaś do statków powietrznych państwowych.
b) Statki powietrzne używane w służbie wojskowej, celnej i policyjnej uważa się za statki powietrzne państwowe.

* * *

**Artykuł 11 porozumienia między
MON RP a MO FR w sprawie zasad wzajemnego
ruchu lotniczego wojskowych statków powietrznych
RP i FR w przestrzeni powietrznej obu państw,**
podpisanego 14 grudnia 1993 roku:

Wyjaśnienie incydentów lotniczych, awarii i katastrof, spowodowanymi przez polskie wojskowe statki powietrzne w przestrzeni powietrznej Federacji Rosyjskiej lub rosyjskie statki powietrzne w przestrzeni powietrznej Rzeczypospolitej Polskiej prowadzone będą wspólnie właściwe organy polskie i rosyjskie.

cze robić dobrą minę do złej gry, deklarując, że będziemy z Rosją prowadzić rozmowy o wspólnym raporcie. Dwa dni wcześniej Tatiana Anodina powiedziała jasno, że dwustronny raport nie wchodzi w grę.

Kilka tygodni wcześniej prezydent Miedwiediew oświadczył, że nie wyobraża sobie, by Polska i Rosja doszły do innych ustaleń.

Miedwiediew dał Warszawie czytelny sygnał. Raport będzie taki, jaki będzie, powinniście go przyjąć i pogodzić się z tym. Wyglądało to jak szantaż albo coś jeszcze gorszego, totalne zlekceważenie polskich uwag. Zarówno słowa Tuska, jak i komunikaty Belwederu po rozmowie Komorowski–Miedwiediew o zamiarze wspólnych prac nad zbliżeniem stanowisk były już tylko robieniem ludziom wody z mózgu.

I tutaj wracamy do pierwszych godzin po katastrofie i decyzji, że śledztwo będzie prowadzone według konwencji chicagowskiej.

Stało się tak wbrew zapisowi konwencji o tym, że dotyczy ona tylko i wyłącznie samolotów cywilnych! Rząd Tuska zrobił to wbrew prawu i elementarnej logice. A przecież siedemnaście lat wcześniej, w 1993 roku, podpisaliśmy z Rosją umowę o ruchu samolotów wojskowych. Dziesiątego kwietnia leżała ona na stole i trzeba było tylko do niej zajrzeć. Dotyczyła dokładnie takiego lotu jak ten do Smoleńska.

Minister Miller – podobnie jak Rosjanie – stwierdził, że samolot był wojskowy, ale lot cywilny.

To był popis głębokiej niewiedzy, ponieważ o statusie lotu decyduje jego plan. Dzień przed katastrofą do Polskiej Agencji Żeglugi Powietrznej dotarł plan lotu oznaczony symbolem PLF 101-I-M. Już samo oznaczenie literą „M" („military") rozstrzyga, że był to lot wojskowy. Nie mówiąc o tym, że tupolew należał do pułku wojskowego i był obsługiwany przez załogę w mundurach. Twierdzenie, że wojskowy samolot kierowany przez pilotów-żołnierzy wykonywał lot cywilny, to obraza inteligencji. To tak jakby ktoś, widząc kota, usiłował nas przekonać, że to wcale nie jest kot, lecz pies. Katastrofa nigdy nie powinna była być badana według procedur ICAO, ponieważ dotyczą one samolotów cywilnych. Wszystkie inne, w tym samoloty wojskowe, są określane przez konwencję jako samoloty państwowe.

Rząd nie miał prawa przystać na taką procedurę?

Premier nie tylko bezprawnie zastosował konwencję, ale złamał też wiążącą umowę między Polską a Rosją. W ten sposób zapędził się w kozi róg, ponieważ po wyborze 13 załącznika, mającego zastosowanie tylko do samolotów cywilnych, Polska pozbawiła się prawa do odwołania od raportu MAK do ICAO. To kuriozum na skalę światową.

Władze przekonywały, że konwencja opłaca się nam bardziej niż umowa z 1993 roku.

To nieprawda. Gdyby zastosowano umowę, mielibyśmy prawo do prowadzenia wspólnego z Rosją śledztwa. Wybierając konwencję, skazano polską prokuraturę na wysyłanie wniosków do Moskwy, by ta łaskawie zgodziła się na wykonanie badań i przeprowadzenie koniecznych dowodów.

Jak w praktyce wyglądało przestrzeganie 13 załącznika?

Mimo wszystko dawał Polsce pewne uprawnienia. Rosjanie krok po kroku je ignorowali, łamiąc większość procedur. Wbrew przepisom Rosja pozwoliła na naruszenie i częściowe zniszczenie szczątków samolotu. Nie zapewniła ochrony własności statku powietrznego państwa operatora, którym była Polska. Na teren katastrofy wpuszczono osoby nieupoważnione do badania wraku, a Polska nie miała nic do powiedzenia. Rosjanie nie zabezpieczyli też wszystkich śladów pozostawionych na ziemi przez samolot.

Walczyliśmy, by „wycisnąć" z tych ułomnych procedur, ile się da?

Nawet nie próbowaliśmy. Mogliśmy – na podstawie konwencji – wystąpić do Rosji, by wrak pozostał nietknięty do czasu przybycia na miejsce naszych ekspertów. Tak się nie stało, więc *de facto* zgodziliśmy się na niszczenie dowodów. Wbrew 13 załącznikowi nie wykonano dokumentacji fotograficznej. Nasi eksperci nie uczestniczyli w badaniach szczątków maszyny ani ciał ofiar. Te ostatnie powinny być prowadzone według opracowanego przez ICAO *Manual of Civil Aviation Medicine*. Żadnych takich standardów nie zachowano. Konwencja dawała nam nawet prawo do wystąpienia o przejęcie śledztwa. Jednak Warszawa nie zrobiła w tej sprawie nic.

Były podstawy, aby zaskarżyć Rosjan za nieprzestrzeganie konwencji?

Nawet w kilku miejscach. Niestety Polska nie oprotestowała bezprawnych działań Moskwy. Formalnie moglibyśmy zaskarżyć Rosję do Rady ICAO w trybie artykułu 84 tej konwencji. Niestety – i tutaj znowu wracamy do punktu wyjścia – tryb badania katastrofy, na jaki zgodził się rząd, spowodował, że nie mieliśmy do tego prawa.

To kwadratura koła.

Rzecznik ICAO po publikacji raportu MAK dał nam to jasno do zrozumienia. Skoro tupolew był samolotem państwowym, a nie cywilnym, to ICAO nie może się zaangażować w wyjaśnianie katastrofy. Pamiętam, jak Donald Tusk mówił, że wykorzysta wszystkie „narzędzia dostępne w prawie międzynarodowym". Chciałabym zapytać, z jakich konkretnie narzędzi skorzystał. Rząd Platformy Obywatelskiej i PSL nie osiągnął w tej sprawie nic poza upokorzeniem.

Rządowi zabrakło wiedzy czy odwagi?

Jednego i drugiego. Odwagi zabrakło też środowisku prawniczemu. Nikt nie powiedział głośno, że „król jest nagi", a premier Tusk, zgadzając się na śledztwo według 13 załącznika, popełnił delikt konstytucyjny. Liczba błędów jest porażająca. Przykre, że nie znalazł się ani jeden profesor z renomowanych katedr prawa Uniwersytetu Warszawskiego czy Jagiellońskiego, który zabrałby w tej sprawie głos. Jedynym, który bronił honoru środowiska, był profesor Piotr Daranowski z Uniwersytetu Łódzkiego.

Ewa Kopacz w sejmie, 29 kwietnia 2010 roku:

Pierwsze godziny nie były łatwe i to państwo musi-
cie wiedzieć. Przez moment nasi polscy lekarze byli
traktowani jako obserwatorzy tego, co się dzieje. To
trwało może kilkanaście minut. A potem, kiedy założyli fartuchy i stanęli do pracy razem z lekarzami
rosyjskimi, nie musieli do siebie nic mówić. [...] Złożyłam deklarację wtedy, kiedy wylatywałam do Moskwy. Powiedziałam: ani jedno polskie ciało nie zostanie w obcym kraju i wszystkie wrócą do Polski. [...]
Dziś wiem, że dotrzymaliśmy słowa. Dotyczy to nie
tylko sprawy ciał, które trafiły, jak państwo wiecie,
jako ostatnie na nasze lotnisko w liczbie 21 bodajże
w piątek, bo najmniejszy skrawek został przebadany.
**Najmniejszy skrawek, który został przebada-
ny, najmniejszy szczątek, który został znaleziony
na miejscu katastrofy – wtedy kiedy przekopywano
z całą starannością ziemię na miejscu tego wypadku na głębokości ponad metra i przesiewano
ją w sposób szczególnie staranny – każdy znaleziony skrawek został przebadany genetycznie.**
[...] chcielibyśmy przekazać, że z pełną rzetelnością
zabezpieczyliśmy wszystkie szczątki, które znaleziono na miejscu wypadku.

„Ewa Kopacz rozpływała się nad gościnnością Rosjan"

Zabolało panią, kiedy Ewa Kopacz została premierem?

Podchodzę do tego spokojnie. Przyzwyczaiłam się do awansu ludzi, którzy w najtrudniejszych chwilach zawiedli. To także przypadek Donalda Tuska, który dostał posadę w Brukseli, i Radosława Sikorskiego, który został marszałkiem. Panią Kopacz uważam za osobę niekompetentną. To, co robiła i mówiła, począwszy od wizyty w Moskwie aż po słowa o przeszukiwaniu miejsca katastrofy na głębokość metra i udziale polskich lekarzy w sekcjach zwłok, kompromituje ją. Jej wypowiedzi sobie przeczą. Wystawia jej to jak najgorsze świadectwo i stawia pod znakiem zapytania jej wiarygodność.

W wystąpieniu w sejmie z kwietnia 2010 roku minister Kopacz nie mówiła nic o „sekcjach zwłok".

Ale wspomniała o tym później w wywiadzie telewizyjnym. Mówiąc o lekarzach, powiedziała wyraźnie; „Gdyby oni nie robili sekcji zwłok, no to jaka ich tam byłaby rola, prawda?".

Ewa Kopacz świadomie skłamała?

Używając najłagodniejszego określenia, minęła się z prawdą. Podobnie jak wtedy, kiedy mówiła, że brała udział w identyfikacjach ofiar i badaniach genetycznych. Okazało się, że pani Kopacz oraz lekarze uczestniczyli jedynie w przygotowaniu ciał do złożenia w trumnach i okazaniu ich rodzinom. Z tym wiązał się kolejny skandal, bo ciała zostały pozamieniane.

Ewa Kopacz w rozmowie z Moniką Olejnik,
Kropka nad i, TVN24, 17 maja 2010 roku:

Już kilkakrotnie starałam się zwrócić na to uwagę, że tam pojechało 11 naszych lekarzy, patomorfologów, lekarzy sądowych, techników, kryminalistyki, ale tam na miejscu była grupa blisko 30 lekarzy. Gdyby oni nie robili sekcji zwłok, no to jaka ich tam byłaby rola, prawda?

A więc identyfikacja została przeprowadzona w sposób nieprawidłowy. Na razie przeprowadzono osiem ekshumacji, ale wciąż nie ma pewności, czy w pozostałych grobach leżą właściwe osoby.

Ma pani do niej żal za wydarzenia w Moskwie?

Uczucia nie grają tu żadnej roli. Ewa Kopacz zapewne była miła i starała się pomagać rodzinom, które poleciały do Rosji. Konstytucyjnego ministra nie rozlicza się jednak za to, że stara się być miły. Minister ma bronić interesów kraju, który reprezentuje. Pani Kopacz nawet nie podjęła takiej próby.

Jedenastego kwietnia powstała notatka o tym, że Rosjanie przeprowadzili już sekcje wszystkich ofiar. Okazało się, że tych paru lekarzy, którzy przylecieli z nią do Moskwy, nie miało już nic do roboty.

Kto był autorem tej notatki?

Jeden z polskich lekarzy, który przyleciał do stolicy Rosji.

Ewa Kopacz przed Instytutem Medycyny Sądowej w Moskwie, kwiecień 2010 roku
(fot. PAP/Jacek Turczyk)

**Ewa Kopacz podczas narady w Moskwie
z udziałem premiera Władimira Putina,**
13 kwietnia 2010 roku:

Na początku bardzo chciałabym podziękować mojemu od-
powiednikowi – pani minister zdrowia. Wszyscy, jak tu siedzimy, wiemy dokładnie, jak wyglądają ofiary takich wy-
padków. Stąd identyfikacja i potwierdzenie tożsamości to
wielka sztuka. To wynik pracy nie tylko polskich patomorfologów, ale przede wszystkim rosyjskich. Pracujemy jak
jedna wspólna rodzina. I powiem szczerze – po raz pierwszy jestem świadkiem tak dobrej współpracy i uzupełniania
się w tej pracy nawzajem. […] Jestem upoważniona także
przez tych, którzy już odlecieli, przez najbliższych ofiar, do
złożenia podziękowań na ręce pani minister za zaangażowanie, za solidność w pracy. […] Chcielibyśmy, abyśmy
mogli – zdając raport Polakom – z czystym sumieniem powiedzieć: zrobiliśmy wszystko, udało się w stu procentach
zidentyfikować ciała. Dlatego też, zgodnie z tym, co powiedziała pani minister, najprawdopodobniej od jutra zacznie
się ewakuacja już zidentyfikowanych ciał. […] Jeszcze raz
gorąco dziękuję.

Co się z nią działo dalej?

O to chodzi, że nic.

Każdy, kto skończy medycynę, musi uczestniczyć w niejednej sekcji zwłok. Pani Kopacz musiała więc wiedzieć, ile czasu taka sekcja trwa. Powinna była się zorientować, że Rosjanie ją okłamują.

Rząd nie zadał jednak żadnych pytań. Jak to możliwe? Dlaczego tak szybko? Jakim prawem? Premier nie podjął interwencji. Trzydzieści parę godzin po tragedii mieliśmy jasność, że Rosja ma nas głęboko w nosie. A my siedzieliśmy jak mysz pod miotłą.

Była okazja, by o to zapytać. Trzynastego kwietnia odbyła się narada, w której uczestniczyli Władimir Putin i Ewa Kopacz.

Ale minister milczała jak zaklęta, gdy Tatiana Anodina oznajmiła, że organy śledcze Unii Europejskiej wyraziły gotowość udziału w badaniu katastrofy. Nie podjęła tego wątku ani nie zgłosiła najmniejszych zastrzeżeń do postępowania Rosji. A przecież dobrze wiedziała, że Rosjanie nie dopuszczają nas do niczego. W rezultacie wniosek, o którym mówiła szefowa MAK, nie został rozpatrzony. Zamiast twardo postawić sprawę, minister Kopacz rozpływała się nad gościnnością Rosjan, opiewając rzekomą wspaniałą współpracę i profesjonalizm Moskwy. Mówiła, że „pracujemy jak jedna wielka rodzina".

Tego dnia rozpoczęło się ANTYŚLEDZTWO.

To był trzeci dzień po katastrofie. Ministrowie też są ludźmi. Emocje i stres mogły wpłynąć na ich reakcję.

Urzędnicy państwa nie mogą się usprawiedliwiać własnymi emocjami. To luksus, który powinien być dla nich niedostępny. Ich rola jest inna niż rodzin, które straciły bliskich, czy widzów siedzących przed telewizorem. Przebieg narady u Putina wyglądał, jakby ktoś od początku sabotował śledztwo.

Swego czasu prasa opublikowała zdjęcie, na którym widać, jak Rosjanie zabezpieczają fragmenty samolotu, a nasi prokuratorzy stoją z założonymi rękami i patrzą. To symboliczne zdjęcie. W Smoleńsku i Moskwie my tylko patrzyliśmy.

Ewa Kopacz twierdzi, że „ma większe moralne prawo mówić o tym, co było w Moskwie, niż ci, którzy ze Smoleńska uciekli do Warszawy".

Skończmy zajmować się opozycją, a zacznijmy władzą.

Obecność Ewy Kopacz w Moskwie przyniosła niewiele dobrego i bardzo dużo złego. Na początku byłam przekonana, że pojechała tam osoba kompetentna. Po pierwsze, była ministrem, więc miała pełnomocnictwa rządu. Po drugie, jest lekarzem, więc zna się na procedurach medycznych. Jeśli później stwierdziła, że była tam prywatnie, to pokazuje, że nie sprostała zadaniu. Przepraszam, a w jakim charakterze występowała na konferencjach prasowych ze swoją rosyjską odpowiedniczką? Czy na naradę u Putina weszła prosto z ulicy?

Premier Kopacz wielokrotnie tłumaczyła, że gdy ona ciężko i w dramatycznych warunkach pracowała w Moskwie, inni przyjechali do Polski robić politykę.

Mnie jako adwokata nie rozlicza się z dobrych chęci, tylko z wyników. Nie rozmawiajmy o intencjach. Porozmawiajmy o tym, czy ktoś się sprawdził. Już po powrocie pani Kopacz dopuściła się dezinformacji, mówiąc o kopaniu na metr w głąb w miejscu katastrofy.

To Rosjanie wprowadzili ją w błąd.

Nie twierdzę, że świadomie kłamała. Tylko że nie miała prawa ogłaszać publicznie niezweryfikowanych informacji. Utrudniła w ten sposób prowadzone śledztwo. Mogła powiedzieć: „Jak twierdzą Rosjanie, ziemia jest przekopywana na metr w głąb". To byłby sygnał, że nie mamy do czynienia z rzetelnymi faktami, bo w przekopywaniu ziemi nie uczestniczymy. To była kompromitacja. O jej skali świadczy to, że sejmowi urzędnicy dopuścili się zmanipulowania stenogramu z posiedzenia, na którym te słowa padły. Zrobili to w prymitywny sposób.

Te słowa mogły być pomyłką.

Każdy może się mylić, to ludzka rzecz. Ale wtedy powinno się przyznać do błędu i przeprosić. A co od pięciu lat robi pani Kopacz? Wymyśla kolejne wersje zdarzeń, które mają postawić ją w lepszym świetle, zwłaszcza po ujawnieniu obciążających ją faktów. Szokujące było też to, z jakim namaszczeniem opowiadała o pracy „ramię w ramię z lekarzami rosyjskimi". Trzeba mieć daleko posuniętą fantazję, żeby mówić o wydarzeniach, do których nigdy nie doszło.

Czego nie powiedziała Polakom?

Prawdy. „Proszę państwa, bardzo nam przykro, ale jest źle. Nie jesteśmy do niczego dopuszczani, a informacje, które otrzymujemy, nie są pewne". Na takie słowa nie było jej stać. Gdyby mówiła prawdę, inaczej mogłaby się zachować prokuratura. Wbrew faktom pani Kopacz zachwalała zachowanie Rosjan, wprowadzając w błąd opinię publiczną.

Ukrywano informacje, ponieważ mogły zaszkodzić politykom PO, w tym Bronisławowi Komorowskiemu, który walczył o prezydenturę?

Pamiętam klimat tamtych dni. Ludzie wychodzili na Krakowskie Przedmieście, domagając się prawdy o Smoleńsku. Można sobie wyobrazić, jakie byłyby nastroje w społeczeństwie, gdyby poznało prawdziwy obraz „współpracy z Rosjanami".

Komorowski mógł przegrać z Kaczyńskim?

Nie potrafię odpowiedzieć na to pytanie. Jestem jednak przekonana, że gdyby ludzie poznali kulisy śledztwa, ich reakcja mogłaby być niebezpieczna dla władz.

Część piąta

„Prokuratorzy polecieli do Smoleńska na ślepo"

Polscy prokuratorzy pojawili się w Smoleńsku już wieczorem 10 kwietnia. Stanęli na wysokości zadania?

Prokuratorzy dali się ograć jak małe dzieci. Nie wiem dlaczego, może ze strachu, może przez naiwność.

W nocy z 10 na 11 kwietnia na miejscu katastrofy odbyła się narada polskich i rosyjskich prokuratorów. Powstała notatka, którą parafowali Krzysztof Parulski i Ireneusz Szeląg. Ustalono wersje zdarzenia, jakie będą brane pod uwagę w śledztwie. W notatce nie ma słowa o możliwości zamachu. Najwyraźniej prokuratorom zabrakło odwagi, by wstać od stołu i powiedzieć Rosjanom: „Uwzględniacie pogodę, błędy załogi, awarię, a gdzie jest ewentualny akt terrorystyczny?". Już w pierwszych godzinach po katastrofie hipoteza zamachu została więc z góry wykluczona.

Jest jeszcze jedna zadziwiająca rzecz w tej notatce. Otóż rosyjski prokurator poniekąd wyznacza zadania prokuratorom z Polski! Informuje, kto jest za jaki zakres działań odpowiedzialny.

Andrzej Seremet broni prokuratorów. Jego zdaniem, nie ma mowy, by tamtej nocy zawarli porozumienie z Rosjanami. To było tylko robocze posiedzenie.

A jakie robocze spotkanie kończy się tak jednoznacznymi konkluzjami? Narada trwała do pierwszej w nocy, spisano oficjalny protokół. Rosyjski prokurator Bastrykin oświadczył, że możliwe są trzy przyczyny katastrofy: zły stan techniczny tupolewa, kiepskie warunki pogodowe oraz niewłaściwe działania załogi samolotu i pracowników naziemnych lotniska. Nie znalazło się choćby jedno zdanie o ewentualnym udziale osób trzecich.

Jedna z konkluzji protokołu brzmi: „zabezpieczyć przeszukanie terenu, przechowanie i przekazanie rosyjskiemu Międzypaństwowemu Komitetowi Lotniczemu MAK wszystkich posiadanych samopisów pokładowych, próbek paliwa i dokumentacji lotu”. To kolejna decyzja podjęta w obecności Polaków i przyjęta bez słowa sprzeciwu. Pod każdym z ośmiu postanowień wymieniono odpowiedzialnych za realizację. W trzech wypadkach był to polski prokurator. Na protokole widnieje pieczątka i podpis pułkownika Szeląga.

Andrzej Seremet broni prokuratorów, a oskarżanie ich o oddanie kontroli nad śledztwem nazywa zniesławieniem. Zdaniem prokuratora generalnego protokołu nie podpisał żaden z Polaków, a pułkownik Szeląg przystawił pieczątkę już w Warszawie, gdy załączał dokument do akt.

Cóż mógł powiedzieć po takiej kompromitacji? Każdy prawnik analizujący notatkę przyzna, że tamtej nocy powstał dokument określający podstawy współdziałania obu prokuratur. Profesor Piotr Kruszyński stwierdził, że nawet jeśli pieczątka została przystawiona później, to jest wskazanie, że nasi prokuratorzy są odpowiedzialni za realizację postanowień narady.

Kilka miesięcy później Rosjanie zażądali od nas unieważnienia zeznań kontrolerów ze Smoleńska, którzy sprowadzali tupolewa. Prokuratorzy chcieli na to przystać, ale później się z tego wycofali.

I całe szczęście, że poszli po rozum do głowy. Nie potrafię sobie wyobrazić, że prokurator powie nagle „unieważnijmy dokument, pod którym widnieje pieczątka”. To byłoby niezrozumiałe i bezprawne.

Chodzi o zeznania Pawła Pliusnina i Wiktora Ryżenki. W wielu punktach są one z sobą sprzeczne. Ale w jednym kontrolerzy są zgodni: to generał z Moskwy wydał im polecenie, by TU-154 lądował mimo gęstej mgły. Kontrolerzy chcieli wydać załodze zakaz lądowania.

Zacznijmy od tego, że o tym, jak Rosjanie prowadzili śledztwo od samego początku, świadczy fakt istnienia dwóch różnych protokołów przesłuchania jednego kontrolera przez dwie różne osoby. Co więcej, przesłuchania miały się odbywać i być spisywane w tym samym czasie! Jakby tego było mało, zeznania są w wielu punktach całkowicie różne. Paweł Pliusnin w jednym protokole zeznał, że załoga słabo znała język rosyjski, a w tym samym czasie do drugiego protokołu miał powiedzieć, że nie wie, jaki był poziom władania rosyjskim przez pilotów. Kontrolerzy w miarę zgodnie zeznają, że okłamywali załogę TU-154M co do danych dotyczących widoczności, aby – jak twierdzą – zniechęcić ich do lądowania.

Moglibyśmy się dowiedzieć, jak było naprawdę, gdybyśmy mieli dostęp do nagrań wideo ze smoleńskiej wieży.

Prokuratura prosi o to Rosję od 2010 roku. I nic. Do dzisiaj nie otrzymała nagrań.

W jaki sposób protokoły, które obciążają Rosjan, dostały się w nasze ręce?

Mogę tylko powiedzieć, że mieliśmy dużo szczęścia. Protokoły te zostały przywiezione bezpośrednio z Moskwy. Po ich przejęciu nastąpiła bardzo długa przerwa w dopływie kolejnych materiałów. Gdy Moskwa zorien-

Rosjanie przenoszą szczątki samolotu na miejscu katastrofy (kadr z filmu Anity Gargas)

Generał Roman Polko,
Szefologika (Gliwice 2014):

Amerykanie z pewnością wykorzystaliby element zaskoczenia i w ciągu pierwszych pięciu minut otoczyliby samolot. Na pewno nie pozwoliliby się zbliżyć do wraku nikomu spoza służb USA. Oficjalnie czy nie, działając wg procedur bądź wymuszając stan faktyczny. Ten teren stałby się poniekąd eksterytorialny. Sęk w tym, że na prezydenta USA czekałaby ogromna ekipa na miejscu – a ilu było BOR-owców? A ilu było w dniu przylotu premiera?

towała się, że ten niewygodny dokument jest w polskich rękach, pozostałe poszły do weryfikacji.

Dlaczego polska ekipa nie dokonała oględzin miejsca katastrofy?

Zadałam to pytanie prokuratorowi Parulskiemu.

Co odpowiedział?

Tłumaczył się: „No wie pani, było wielkie zamieszanie, a przecież teren był taki ogromny". Proszę sobie wyobrazić, że w Smoleńsku zaraz po katastrofie było siedmiu polskich prokuratorów. Powtarzam, tylko siedmiu! Cała ekipa śledcza powinna liczyć co najmniej trzydzieści–czterdzieści osób. To jasne, że ta siódemka nie miała żadnych szans. Poza tym prokurator jedynie asystuje przy oględzinach miejsca, prace wykonują technicy oraz inni specjaliści z MSW.

Jeden z prokuratorów powiedział mi, że to, iż w ogóle znalazł się w Smoleńsku, było jego prywatną inicjatywą. Rozmawiałam z ludźmi ze służb, policji, wojska, BOR i wiem, że byli gotowi lecieć do Smoleńska już wieczorem w dniu katastrofy. Byli nawet spakowani.

Dlaczego nie polecieli?

Usłyszeli, że nie ma takiej potrzeby. W dniu katastrofy ludzie z Zakładu Genetyki Molekularnej i Sądowej Uniwersytetu Mikołaja Kopernika w Bydgoszczy wysłali do prokuratury i Rządowego Centrum Bezpieczeństwa pismo, w którym deklarują pomoc przy identyfikacji ofiar. Napisali w nim, kto powinien znaleźć się w ekipie i że powinni to być specjaliści medycyny sądowej, antropolodzy i genetycy. Zaproponowali, żeby ze względu na rozmiary tragedii badania przeprowadziły dwa, trzy ośrodki w kraju. To nie byli amatorzy. Ci ludzie uczestniczyli w największym na świecie projekcie identyfikacji ofiar masowych grobów w Bośni. Identyfikowali też ciała górników, którzy zginęli w kopalni „Halemba".

Jaka była reakcja władz?

Prokuratura w ogóle nie odpowiedziała. Profesor Karol Śliwka z Bydgoszczy dostał zaś informację z Rządowego Centrum Bezpieczeństwa, że specjaliści, których zorganizował, są niepotrzebni.

Przecież był apel rządu, że poszukuje biegłych, którzy mogliby udać się do Smoleńska.

Tym bardziej jest to dziwne. Tak samo jak to, że do Smoleńska nie wysłano polskich ratowników. Tych samych, których kilka miesięcy wcześniej przerzucono do Haiti, gdzie doszło do trzęsienia ziemi. Jak podała „Gazeta Polska", kilka miesięcy później znaleźli się w Rosji. Tyle że premier Tusk wysłał ich tam, by pomagali w gaszeniu pożarów lasów.

Prokuratorzy polecieli do Smoleńska na ślepo. Bez umocowania i sprzętu. Przez pierwsze godziny mieli w miarę swobodny dostęp do miejsca tragedii, ale z każdą godziną stawał się on coraz bardziej ograniczony. Po kilku dniach mieli całkowity szlaban. Teren był skrupulatnie pilnowany przez Rosjan.

Zabrakło im wsparcia.

By coś mogli zrobić, powinni otrzymać poparcie z samej góry. Nie dostali go jednak. Mówili mi, że czuli się bardzo osamotnieni. „Jak to możliwe – pytali – że Miedwiediew i Putin publicznie zapraszają do udziału w śledztwie, a my nie reagujemy?" Bez interwencji premiera Tuska i ministra Sikorskiego nie było szans na wyciągnięcie od Rosjan czegokolwiek. Takich spraw nie negocjuje się na poziomie prokuratury, lecz prezydentów i premierów.

Zaraz po katastrofie Rosjanie zaczęli akcję usuwania wraku, wycinali drzewa oraz zalali betonem ziemię na miejscu zdarzenia. Zaprotestowaliśmy?

Nic o protestach nie wiem. Pytałam prokuratorów, dlaczego miejsce katastrofy zostało tak drastycznie zmienione i kto na to wydał zgodę. Nie dostałam odpowiedzi.

Dlaczego to jest takie ważne?

Wyobraźmy sobie, że mieszkanie, w którym popełniono morderstwo zostaje zaplombowane przez policję. Nagle ktoś zrywa taśmy, zdziera parkiet, maluje ściany i przestawia w nim meble. Byłoby to ordynarne zacieranie śladów. I tak właśnie postąpili Rosjanie. Chyba nie mogli wyjść z podziwu, że poszło im tak łatwo. Zero oporu ze strony Warszawy.

Podobnie było z dowodami.

Prokuratura miała do nich bardzo ograniczony dostęp. Dzisiaj mamy z tym prawdziwy dramat. Nie posiadamy wraku, czarnych skrzynek, nagrań z wieży czy z IŁA-76.

Kiedyś je dostaniemy?

W prywatnych rozmowach prokuratorzy przyznają, że tych najważniejszych nie otrzymamy nigdy.

„Myślenie, że Rosjanie nie byliby do tego zdolni, to Himalaje naiwności"

Na początku czerwca 2010 roku Rosjanie przekazali nam stenogramy z czarnych skrzynek. Wynikało z nich, że załoga zdawała sobie sprawę z fatalnej pogody. Kapitan Protasiuk mówił: „W tych warunkach, które są obecnie, nie damy rady usiąść", „Spróbujemy podejść, zrobimy jedno zejście, ale prawdopodobnie nic z tego nie będzie". Mimo licznych ostrzeżeń systemu TAWS piloci kontynuowali lądowanie.

Od początku z tymi kopiami coś było nie tak. Nie powinno się więc traktować tego stenogramu jak dekalogu. W ciągu pięciu lat nasi prokuratorzy byli w Moskwie kilka razy, by zrobić nowe odczyty z czarnych skrzynek. I ciągle coś im się nie zgadzało.

Widzieliśmy wszyscy sejf w Moskwie, który po włożeniu czarnych skrzynek został zaplombowany. Nie wierzy pani w te zabezpieczenia?

Służby specjalne potrafią wejść do każdego strzeżonego budynku i to bez najmniejszego śladu. A co dopiero jeśli sejf mają pod własną kontrolą. Myślenie, że Rosjanie nie byliby do tego zdolni, to Himalaje naiwności.

Niezależni specjaliści, którzy porównywali stenogramy z pozostałymi dowodami (na przykład zdjęciami satelitarnymi czy innymi ekspertyzami) zwrócili uwagę, że wiele rzeczy się nie zgadza. Same kopie zapisów różnią się w stopniu uniemożliwiającym uznanie ich za rzetelne. Na przykład w nagraniach wykonanych w Moskwie 31 maja 2010 roku zabrakło 16 sekund.

Jednak Instytut Sehna wydał opinię, że nagrania nie nosiły śladów ingerencji ani manipulacji.

Niektóre z przekazanych kopii faktycznie nie nosiły śladów ingerencji, ale pamiętajmy o jednym fakcie. To, że „zrzutu" kopii rzeczywiście dokonano z oryginałów, wiemy tylko na podstawie oświadczenia Rosjanina, niejakiego Trusowa.

Ostatnie sekundy lotu tupolewa mogły wyglądać inaczej, niż myśleliśmy?

Zawsze zastanawiało mnie, jak to możliwe, że w stenogramach nie ma śladu histerii załogi. Najmniejszego objawu zdenerwowania. Słychać tylko odliczanie wysokości. Czy możliwe, by w czasie, gdy coś dziwnego dzieje się z samolotem, nikt tego nie skomentował choćby zdaniem? Tymczasem nie było żadnego krzyku ani podniesionego głosu.

Ubłocone czarne skrzynki leżące na stole w Moskwie (fot. Marina Lystseva/PAP/ITAR-TASS)

Raport komisji Jerzego Millera
przedstawiony 29 lipca 2011 roku, Warszawa:

Przyczyną wypadku było „zejście samolotu poniżej minimalnej wysokości zniżania, przy nadmiernej prędkości opadania, w warunkach atmosferycznych uniemożliwiających wzrokowy kontakt z ziemią, i spóźnione rozpoczęcie procedury odejścia na drugi krąg. Doprowadziło to do zderzenia z przeszkodą terenową, oderwania fragmentu lewego skrzydła wraz z lotką, a w konsekwencji do utraty sterowności samolotu i zderzenia z ziemią". Załoga podejmowała właściwe decyzje, tylko nie potrafiła ich właściwie zrealizować. Zdecydowano o drugim podejściu próbnym na bezpieczną wysokość minimalną, która nie niesie z sobą żadnego ryzyka. Posługiwano się jednak niewłaściwym wysokościomierzem. Dowódca myślał, że jest na 100 metrach, a był na 49. Chciał odejść na autopilocie, a w rezultacie, gdy rozpoczął się etap wznoszenia, był 2 metry nad poziomem drogi startowej. Komisja nie stwierdziła nacisków na załogę. Polscy śledczy zarzucili stronie rosyjskiej, że kierownik strefy lądowania lotniska w Smoleńsku podawał błędne komendy. MAK poinformował, że „polska wersja katastrofy w dużej mierze jest zbieżna" z jego dokumentem.

Załoga mogła być sparaliżowana albo skupiona na manewrze, który mógł wszystkich uratować.

Trudno mi w to uwierzyć. Podobne wątpliwości mają śledczy, skoro w sierpniu 2014 roku wystąpili do Rosji o zgodę na kolejne skopiowanie zapisów czarnych skrzynek. Tym razem przy zastosowaniu nowego oprogramowania. Widać, że nie mają ochoty pracować na materiale, który dostali wcześniej.

Rosjanie mogli zmontować stenogram?

Nie musieli. Wystarczy, że nagrali tyle, ile chcieli. Ale są też opinie poważnych ekspertów, że taki montaż jest prawdopodobny. Te kolejne prośby prokuratury potwierdzają nasze podejrzenia, że kopie, na których swój raport oparła komisja Millera, były niewiarygodne. Cały raport nadaje się więc do kosza.

Tyle że zaraz po publikacji raportu chwaliła pani komisję Millera. „Komisja wykonała kawał bardzo ciężkiej pracy, w bardzo trudnych warunkach i pod ogromną presją. Jestem przekonana, że zrobili to najlepiej, jak potrafili" – to pani słowa z lipca 2011 roku.

Powiedziałam tak, będąc tuż po spotkaniu rodzin z członkami komisji. Nie miałam wówczas wiedzy, jaką zdobyłam po lekturze raportu. Cały dokument dostaliśmy już po rozmowie w Kancelarii Premiera.

Wycofuje się pani z tych słów?

To był zwykły ludzki odruch. U nikogo nie zakładałam złej woli. Nie byłam uprzedzona do Jerzego Millera tylko dlatego, że należał do innej partii niż ojciec. Wierzyłam, że w obliczu tak wielkiej katastrofy członkowie komisji zachowają się jak prawdziwi urzędnicy państwa. Zamieniłam nawet parę słów z ministrem Millerem, mówiąc mu, że tata bardzo go cenił.

Tego samego dnia wytknęła pani komisji, że nie przeprowadziła kluczowych badań.

Z komisją Millera spotkaliśmy się zaraz po jej konferencji dla mediów. Byłam zaskoczona, jak bardzo przekaz dla rodzin odbiegał od tego, co zobaczyliśmy w telewizji. Przy nas komisja mocno uderzała w Rosjan. Jeden z członków powiedział, że katastrofa nie nastąpiła z winy pilotów, lecz kontrolerów, bo to oni mieli obowiązek korygowania lotu. Atmosfera zmieniła

**Izabela Sariusz-Skąpska,
córka prezesa Federacji Rodzin Katyńskich,
o zespole Macierewicza
w rozmowie z Moniką Olejnik,**
Radio Zet, 25 października 2013 roku:

Jestem bezsilna. Ze śmierci mojego ojca i dziewięćdziesięciu pięciu innych osób robi się uliczne żarty i do tego doprowadziła ta komisja. Proszę posłuchać ulicy, jak ludzie rozmawiają w tramwaju i sklepie. Mnożą się żarciki. „Ja też bym się nadawał do tej komisji, bo składałem samolociki", „umiem budować, bo z dzieckiem budowałem z klocków lego". Kiedy to słyszę, łzy mi się kręcą w oczach i chcę krzyczeć.

się, gdy zaczęły się pytania. Czy komisja pobrała próbki z gleby i drzew? Czy dokonała oględzin wraku? Czy zabezpieczyła szczątki? Na każde z tych pytań odpowiedź brzmiała „nie". Kiedy stwierdziłam, że polscy urzędnicy ograniczyli się do zbadania kopii czarnych skrzynek, pan Miller przytaknął. Zapisy z rejestratorów będące w rękach Moskwy to jedyny dowód, na którym komisja oparła swoje ustalenia. Przepraszam, dokonała jeszcze analizy szkoleń i stanu psychicznego załogi.

To chyba jedyna taka komisja na świecie, która badała katastrofę, nie odchodząc od swych biurek.

Maciej Lasek tłumaczy, że to nic niezwykłego. Komisja uznała bowiem, że jej praca nie wymaga badania miejsca katastrofy i wraku, a „do ustalenia przyczyn wystarczy badanie trajektorii lotu do zderzenia z brzozą".

Jestem ciekawa, czy powtórzyłby te słowa, patrząc prosto w oczy członkom komisji badających wypadki lotnicze w innych krajach. Przypuszczam, że zostałby wyśmiany.

Jerzy Miller wątpi, aby ktoś miał możliwość uzupełnienia raportu.

Zgadzam się. Uzupełnianie raportu nie ma sensu. Raport trzeba napisać od nowa. To, co jest w raporcie KBWL, to kompromitacja.

* * *

Nie zostawia pani na raporcie Millera suchej nitki, a wiele rodzin smoleńskich uważa, że jest on nie do podważenia.

To ich osobista ocena. Nikogo za to nie potępiam. Zastanawiam się tylko, czy ci, którzy tak uważają, świadomie nie odwracają się od prawdy. Dlaczego nie potrafią wyciągnąć wniosków z tego, że komisja Millera nie była nawet w stanie poprawnie ustalić grubości smoleńskiej brzozy?

Izabeli Sariusz-Skąpskiej chciało się krzyczeć, gdy oglądała ekspertów Antoniego Macierewicza podważających raport Millera.

Nie rozumiem pani Izabeli. Mam wrażenie, że od samego początku konsekwentnie broni linii rządu z sobie tylko wiadomych powodów. Nie zadaje żadnych pytań i nie ma żadnych wątpliwości. A przecież wystarczy spojrzeć na zdjęcia i porównać je z podobnymi katastrofami lotniczymi na świecie. Być może pani Izabela uznała, że nic już nie zwróci życia jej ojcu, więc drążenie tematu nie ma sensu.

Jej zdaniem hipoteza o zamachu to czysta polityka. Ci, którzy ją lansują, chcieliby, aby ich bliscy byli bohaterami jakiejś nowej wzniosłej historii, a nie tylko ofiarami tragicznego wypadku.

To bzdura. Chciałabym się dowiedzieć, jakie ekspertyzy i dokumenty przeczytała.

Przepaść, która dzieli rodziny smoleńskie, jest nie do zasypania?

To mało prawdopodobne, ale możliwe. Występowałam w telewizji razem z Barbarą Nowacką. Podobnie jak ja sprzeciwiła się wydawaniu pieniędzy na pomnik w Smoleńsku. Tak jak my mówiła, że nikt tam nie pojedzie, bo pomnik ma być postawiony na ziemi, w której tkwią jeszcze szczątki naszych bliskich. Miała żal do Donalda Tuska, że był tak nieskuteczny w sprawie odzyskania wraku. Myślę, że pani Barbara i jej świętej pamięci mama Izabela Jaruga-Nowacka są ofiarami tego, że większość pasażerów tupolewa to ludzie związani z Prawem i Sprawiedliwością.

Nie rozumiem.

Myślenie rządu – moim zdaniem – było następujące. Skoro w Smoleńsku zginęło najwięcej polityków PiS, to jest to głównie problem tej partii, a nie państwa. Nas, związanych z PiS, świadomie zlekceważono, rodzina pani Barbary dostała rykoszetem.

Oskarża pani Donalda Tuska, że nie był poruszony śmiercią polityków opozycji?

Mówię tylko to, co czuję. Zginęli w większości ludzie PiS-u. A PiS to nasz przeciwnik. Więc nas to niespecjalnie interesuje. Brak determinacji rządu w wyjaśnianiu katastrofy wynikał także z takiego myślenia.

Ale w Smoleńsku zginęli też posłowie Platformy.

Widocznie nie miało to wielkiego znaczenia.

Przypuszczam, że prościej byłoby doprosić się od rządu zdecydowanych działań, gdyby samolotem nie leciał prezydent z przeciwnego obozu, tylko – dajmy na to – wycieczka turystów.

O bierności władz zdecydował jeszcze jeden czynnik. Strach. Po co – myślał rząd – narażać się takiemu krajowi jak Rosja. I dla takich ludzi jak Lech Kaczyński, czy posłowie Prawa i Sprawiedliwości.

Paweł Graś, rzecznik rządu,
w Radiu Zet,
14 listopada 2010 roku:

Uważam, że to jest absolutny i totalny skandal, ocierający się wręcz o zdradę. Gdyby w każdych innych warunkach doszło do sytuacji, że mamy legalne państwo, legalny rząd, legalne władze, legalne instytucje i ktoś zwraca się do obcego mocarstwa, mówiąc, że te instytucje są niewiarygodne, że to państwo jest nieważne, że to, czym to państwo się zajmuje, budzi wątpliwości, to jest sytuacja absolutnie skandaliczna i niedopuszczalna. Kiedy Polska potrzebuje pomocy eksperckiej przy śledztwie, to się o nią zwraca.

„Reakcje Polski i Holandii na katastrofę samolotu dzieli przepaść"

Latem 2014 roku wydawało się, że świat przejrzał na oczy. Zrozumiał, kim jest Putin i jakim państwem jest Rosja. Niestety, przebudzenie trwało chwilę. O zestrzeleniu malezyjskiego samolotu mówi się coraz mniej. Temat zszedł na dalszy plan.

Największą grupę pasażerów boeinga-777 stanowili Holendrzy. Czy reakcję Warszawy można porównać do tego, co zrobiła Haga?

Takie porównanie pogrąża polski rząd. Holendrzy nie mieli oporów przed umiędzynarodowieniem śledztwa i zaapelowaniem o pomoc do innych krajów. Kiedy posłowie Fotyga i Macierewicz próbowali sprawą śledztwa smoleńskiego zainteresować Kongres USA, rzecznik rządu Paweł Graś oskarżył ich o zdradę. Kiedy prokurator Marek Pasionek spotkał się z oficerami CIA i FBI, prosząc o pomoc, został zawieszony w czynnościach przez prokuratora Parulskiego. To, że Polska dobrowolnie zrezygnowała z szukania pomocy w USA czy w Unii Europejskiej, obciąża rząd Donalda Tuska.

Polska i Holandia inaczej potraktowały także sprawę identyfikacji ofiar.

W przypadku Smoleńska już po 24 godzinach było po sekcjach. Pani Kopacz nie powiedziała słowa na temat tak niezwykłego w skali świata tempa badań. Holendrzy zapowiedzieli, że identyfikacja i sekcje zwłok ofiar mogą im zająć kilka miesięcy. Tam pracowało ponad stu specjalistów, a do badań zaangażowano renomowane centrum medycyny sądowej z Wielkiej Brytanii. W odróżnieniu od rządu PO–PSL Holendrzy wiedzieli, co robić.

Po katastrofie na Ukrainie Maciej Lasek nie zmienił zdania na temat Smoleńska. Uważa, że wydarzenia te są nieporównywalne.

Pan Lasek i jego koledzy do końca będą bronić własnych ustaleń. Nie sądzę, żeby kiedykolwiek przyznali się do błędów, nawet w tak oczywistej sprawie jak to, że nie przeprowadzili żadnych badań.

Szef zespołu rządowego powtarza, że główną i najważniejszą przyczyną katastrofy było to, że piloci zeszli tak nisko.

Przeczą temu badania niezależnych ekspertów. Choćby nagrania z czarnych skrzynek, gdzie słychać słowo „odchodzimy". Taką komendę wydaje się nie „na przyszłość", lecz w momencie wykonywania manewru. Oficjalna wersja katastrofy kłóci się również z dokumentacją fotograficzną i stanem wraku. Takie zniszczenia nie mogły powstać po uderzeniu w brzozę, po upadku maszyny z tak niewielkiej wysokości i na ten rodzaj podłoża.

Macieja Laska te argumenty nie przekonują. Samolot miał zostać sprowadzony na 3 sekundy do wysokości –3 metrów w odniesieniu do początku pasa startowego. A najgorsze, co można było zrobić w Smoleńsku, zrobiła załoga.

Zapytam jeszcze raz. Na podstawie jakich badań doszedł do takich wniosków? Jeśli oparł je tylko na kopiach z czarnych skrzynek, których wiarygodność kwestionują prokuratorzy, to o czym mówimy?

Kiedy Antoni Macierewicz mówi o zdjęciach, na których mają być widoczne przestrzelone elementy tupolewa, Maciej Lasek ripostuje, że to skutek rozdarcia spowodowanego kontaktem z drzewem. Jednym zdaniem, to kolejne kłamstwo Macierewicza.

Należy zadać sobie pytanie, jaką rolę musi dzisiaj odgrywać pan Lasek. Być może trzeba pogodzić się z tym, że będzie powtarzał tezy raportu Millera tak długo, jak długo to będzie częścią jego pracy. Wystarczy spojrzeć na zdjęcia zniszczonego tupolewa. Widać na nich skutek odkształcenia się elementów na zewnątrz, a nie do środka. To mogło być spowodowane jedynie eksplozją. Od lat apeluję, by doprowadzić do publicznej konfrontacji obu grup ekspertów.

Maciej Lasek nie widzi płaszczyzny, na której można rozmawiać z ekspertami zespołu Macierewicza.

To kiepskie alibi. Członkowie rządowej komisji boją się dyskusji z niezależnymi specjalistami. W ciągu 5 minut zostaliby zmiażdżeni.

Dla rządowej komisji eksperci zespołu Macierewicza i Konferencji Smoleńskiej to pseudonaukowcy, kompromitujący się doświadczeniami z parówkami i puszkami po napojach energetycznych.

Niech sobie tak uważają. Kpiąc z puszek, sami sobie wystawiają świadectwo ignorancji. Te kpiny świadczą o tym, że nie rozumieją, czym jest model w naukach ścisłych. Ludzie pozbawieni takiej wiedzy w dyskusji na tematy techniczne jedynie się kompromitują.

Dlaczego nie chcą dać szansy Polakom? Mogliby oni obejrzeć starcie na argumenty i samodzielnie wyrobić sobie opinię, kto jest naukowcem, a kto pseudoekspertem. Kiedy jestem zapraszana do telewizji, nie stawiam warunku, z kim usiądę, a z kim rozmawiać nie będę. Jeśli ktoś jest pewny swych racji, nie powinien się bać. Jeżeli Maciej Lasek twierdzi, że strona przeciwna na niczym się nie zna, to ma doskonałą okazję, by udowodnić, że to grupa dyletantów. Jeżeli ma odwagę, niech usiądzie naprzeciw ponad stu profesorów z Polski i świata. Ci profesorowie przyjadą za własne pieniądze. Tak jak na własny koszt prowadzą badania, publikują je, finansują przeloty, przejazdy oraz wynajem sali, gdzie przedstawiają wyniki swoich prac. Im zapłaci historia, a nie budżet państwa.

**Opinia prof. dr hab. Krystyny Kamieńskiej-Treli
i prof. dr. hab. Sławomira Szymańskiego**
(specjaliści chemii organicznej oraz fizycznej
i teoretycznej) w sprawie ekspertyzy dotyczącej materiałów
wybuchowych na tupolewie sporządzonej przez CLK:

Badania chromatograficzne na temat obecności materiałów wybuchowych i produktów ich degradacji w obszarach i obiektach związanych z Katastrofą Smoleńską należy uznać za niepoprawne, obarczone często podstawowymi błędami, a wnioski z opinii za częściowo dowolne, częściowo zaś niedostatecznie uzasadnione. [...] Należy podkreślić, że w przypadkach, gdzie eksperymenty wykonano w miarę poprawnie, metody GC/ECD i GC/TEA zgodnie wskazują na liczne pozytywne wyniki RDX. Rażąco błędna jest interpretacja sygnału o parametrach RDX (heksogenu – przyp. red.), wykrytego w licznych próbkach metodą GC/TEA, jako pochodzącego od ftalanu diizobutylu (FDiB). W kilku przypadkach występuje również sygnał analityczny pentrytu (PETN). Pozytywne wyniki dotyczą głównie próbek pobranych z poszycia foteli i ich części metalowych, a zatem na podstawie analizy tej części wyników należałoby wnioskować, że na pokładzie samolotu TU-154M z dużym prawdopodobieństwem mogły znajdować się środki wybuchowe.

„To coś wydarzyło się w powietrzu"

W październiku 2012 roku Cezary Gmyz napisał na łamach „Rzeczpospolitej" o „trotylu na wraku Tupolewa". Na ekspertyzę wykluczającą obecność materiałów wybuchowych czekaliśmy aż do 2014 roku.

Nie dość, że tak długo czekaliśmy, to otrzymaliśmy opinię biegłych, która pod każdym względem jest dyskusyjna. I nie przesądza, że na wraku nie było śladów ładunków wybuchowych.

Podważa pani kompetencje Centralnego Laboratorium Kryminalistycznego?

Sposób, w jaki rządowe laboratorium potraktowało prokuratorów, jest rzeczą niespotykaną. Pierwotna ekspertyza próbek z wraku była wewnętrznie sprzeczna i niepełna. Prokuratorzy poprosili o jej uzupełnienie. Jaka była odpowiedź? Niczego nie będziemy robić, bo lepiej wiemy, jak przeprowadza się badania.

To normalna wymiana zdań?

W mojej praktyce nigdy z czymś takim się nie spotkałam. Na własne oczy widziałam oburzenie prokuratorów. W końcu laboratorium się złamało i napisało ekspertyzę uzupełniającą.

Być może kryminalistycy uznali, że nie mogą zrobić nic więcej, bo próbki pobrano dopiero dwa lata po katastrofie?

A może przyczyna leży gdzie indziej? Może wpływ na wynik badań miał fakt, że specjaliści z laboratorium podlegali bezpośrednio szefowi

MSW, którym był wówczas Bartłomiej Sienkiewicz? Takie pytanie jest naturalne. On, tak jak cały rząd, zajmował stanowisko, że jest tylko jedna i niepodważalna wersja katastrofy. Wersja pana Laska. Więc nikt nie ma prawa jej kwestionować.

Ma pani dowody, że na biegłych z CLK wywierano naciski?

Nie mam. Jak jednak wytłumaczyć to, że dostają próbki i przez wiele miesięcy nie rozpoczynają badań? Najpierw zwlekają, potem oświadczają, że nie będą badać wszystkiego. Na prośbę o uzupełnienie odpowiadają tylko dlatego, że jako instytucja państwowa mają taki obowiązek. Może obawiali się, że badanie powtórzy inna niezależna instytucja?

Ekspertyza mówi, że na próbkach, które przywieziono z Rosji, brak śladów materiałów wybuchowych.

To zagadka. Detektory w Smoleńsku ślady wykryły, a biegli w Warszawie już nie. Jak to możliwe? Fachowcy z CLK nie potrafili podać nazw konkretnych związków chemicznych, które wprowadziły w błąd urządzenia przetestowane na całym świecie. Detektory miały dawać „fałszywie pozytywne wskazania", lecz producenci temu zaprzeczają. Profesorowie Kamieńska-Trela i Szymański sporządzili opinię podważającą ekspertyzę CLK. Uważają, że błędnie założono, iż występowanie ładunku wybuchowego można przyjąć tylko wtedy, gdy uzyska się pozytywny wynik za pomocą wszystkich czterech metod badawczych. Każda z nich ma zupełnie inną czułość.

Dlaczego próbki z wraku pobrano dopiero po dwóch latach?

Śledczy wpadli w pułapkę, którą sami na siebie zastawili. Po dwudziestu czterech miesiącach zreflektowali się, że śledztwa nie można bez takiej ekspertyzy zamknąć. Błędy pierwszych godzin po katastrofie to fatum, które ciąży nad śledztwem. Z powodu tamtych zaniechań prawie każda ekspertyza staje się niejednoznaczna i nie jest kategoryczna. Upływ czasu robi swoje.

Jeśli tak, to po co w ogóle je przeprowadzać?

Mimo wszystko mają sens. Ekspertyza dotycząca alkoholu we krwi generała Błasika coś istotnego jednak wykazała, prawda? Nie tylko przywróciła honor dowódcy sił powietrznych, ale pokazała kłamstwa rosyjskiej propagandy.

Jaka jest wartość dowodowa próbek pobranych z wraku i przechowywanych w Moskwie?

Każda rzecz, która przechodzi przez Moskwę powinna być traktowana jedynie jako materiał pomocniczy. Rosjanie nie mieliby problemów, by podrzucić nam to, co by chcieli. Wszystkie przechodzące przez ich ręce dowody należy traktować z ograniczonym zaufaniem. Dopiero po testach w kraju można je zakwalifikować jako wiarygodne bądź nie.

Sytuacja byłaby inna, gdyby biegli przewieźli próbki bezpośrednio do Polski.

Mam nadzieję, że ktoś rozsądny wpadł na ten pomysł. Byłoby to działanie w pełni uzasadnione.

Wie pani coś więcej?

Po prostu mam jeszcze resztki nadziei i wiary w ludzi, którzy tę sprawę badają.

Sprawa wydaje się zamknięta, bo prokuratura ostatecznie odrzuciła wszystkie zarzuty pod adresem ekspertyzy CLK. Kategorycznie stwierdzono, że żadnych śladów na wraku nie ma.

Zadziwia mnie postawa prokuratorów. Najpierw mieli poważne zastrzeżenia do ekspertyzy, a potem bronili jej jak niepodległości. To niezrozumiałe i mało poważne. Tak samo jak to, co działo się wcześniej. Już w 2011 roku prokurator generalny Andrzej Seremet oświadczył, że zamach jest wykluczony, a dopiero dwa lata później zlecono badania pirotechniczne wraku?! Na jakiej więc podstawie pan Seremet sformułował wcześniej tak kategoryczną opinię?

Wrak jest w rękach Rosjan. Czy są inne dowody, które mogą przybliżyć nas do prawdy?

Te dowody widzieli wszyscy, lecz nie każdy dostrzegł to, co najważniejsze. Myślę o odkształceniach wraku, które zarejestrowano w materiałach telewizyjnych i na zdjęciach. To w nich ukryta jest tajemnica katastrofy. Już

Profesor Piotr Witakowski,
Geotechniczne aspekty katastrof lotniczych
a Katastrofa Smoleńska. III Konferencja
Smoleńska, 21–22.10.2014 roku
(Warszawa 2014):

Deformacja szczątków wskazuje na to, że oddzieliły się one od pozostałych części konstrukcji na skutek części sił rozrywających, a nie zgniatających. Kadłub został rozerwany, a nie zgnieciony. Praktycznie nie można zauważyć zgnieceń konstrukcji poza niewielkimi wgłębieniami na niektórych zewnętrznych powierzchniach. Na niektórych częściach istnieją deformacje, które mogły powstać wyłącznie na skutek eksplozji. Przykładowo, na klapach skrzydła widać przestrzeliny, a wręga centropłata jest wywinięta na zewnątrz w sposób charakterystyczny dla eksplozji wewnętrznej.

na podstawie charakterystycznej destrukcji tupolewa, można ustalić prawdziwy przebieg wydarzeń.

Jak to możliwe, że samolot rozpadł się na tyle części?

Mamy do czynienia z niewytłumaczalnym, przy upadku z tak małej wysokości, rozczłonkowaniem samolotu. Tego, że tupolew rozpadł się na kilkadziesiąt tysięcy kawałków, nie da się wytłumaczyć inaczej niż wybuchem. Części samolotu i ludzkie kości były porozrzucane na dystansie kilometra. Twierdzenie, jakoby cofnęły się same o 1000 metrów od miejsca uderzenia w ziemię, jest absurdalne. To COŚ zdarzyło się w powietrzu.

Dopóki nie zbadamy wraku i czarnych skrzynek, pani przekonanie będzie tylko hipotezą.

Hipotezą nazywamy przypuszczenie naukowe, które wymaga sprawdzenia. Nie można tego określenia stosować do faktów. Faktem, a nie hipotezą jest dyslokacja szczątków oraz rodzaj ich zdeformowania. To jest potwierdzone w licznych dokumentach. Należą do nich protokoły oględzin miejsca zdarzenia sporządzone przez Rosjan, zeznania świadków, obszerna dokumentacja fotograficzna i filmowa sporządzona niezależnie od siebie przez wielu operatorów i fotografików. Wszystkie te fakty wskazują w sposób jednoznaczny, że rozpad samolotu następował etapami, a rozpoczął się jeszcze zanim tupolew doleciał do działki Bodina. Żadne badania wraku i czarnych skrzynek tego nie zmienią. W ich wyniku można co najwyżej ustalić kolejne szczegóły, choćby rozmieszczenie ładunków i czas ich eksplozji.

Jak mogło dojść do odpalenia ładunku?

Od strony technicznej to banalnie proste. Systemy zdalnego sterowania są powszechnie stosowane od lat. Są pociski zdalnie sterowane, a ostatnie lata przyniosły masowe zastosowanie dronów. Nawet dyletanci w sprawach militarnych mają świadomość, że w dobie technologii komórkowej nie jest żadnym problemem odpalenie ładunku przez połączenie się z aparatem umieszczonym w samolocie czy samochodzie. To metoda dobrze znana terrorystom na całym świecie.

Ktoś musiał ten ładunek w tupolewie zamontować. Kto i kiedy?

Mogło do tego dojść podczas remontu maszyny w rosyjskiej Samarze, w grudniu 2009 roku.

Samolot był sprawdzany przez BOR. Nic nie znaleziono.

Procedury kontroli pirotechnicznej są dostosowane do hipotetycznego wniesienia ładunku na pokład samolotu przez pasażera lub osobę postronną. Podczas takiej kontroli nigdy nie bada się, czy producent lub serwisant nie ukrył ładunku wybuchowego w zamkniętych przekrojach konstrukcji maszyny, na przykład w przestrzeni statecznika albo wewnątrz zbiornika paliwa. Taka kontrola wymagałaby rozebrania samolotu na części.

Proszę porównać zdjęcia tupolewa z wrakiem boeinga zestrzelonego nad Ukrainą. Malezyjski samolot spadł z wysokości 10 kilometrów, nasza maszyna spadała z mniej więcej 30 metrów. Tam znaleziono ofiary w całych, niezniszczonych ubraniach. W przypadku Smoleńska wiele ciał było pozbawionych odzieży. Według ekspertów, charakter zniszczenia ubrań jest podobny do katastrof, w których doszło do eksplozji.

Ewa Kochanowska trzyma w domu koszulę po mężu, profesorze Januszu Kochanowskim. Jej tułów jest pocięty na cienkie paski, w całości ostał się tylko kołnierzyk.

Roztrzaskany samolot, złożony na lotnisku w Smoleńsku (fot. MAK)

Jak było w przypadku pani ojca?

Rosjanka, która opisywała to ubranie, mówiła, że koszula jest poszarpana na kawałki i śmierdzi benzyną. Odradzała jej zabranie, bo to „mieszanina strzępów materiału, błota i krwi". Rosjanie zwrócili nam różaniec i blankiet biletowy ojca. Po pięciu latach od katastrofy one wciąż śmierdzą spalinami. Skoro nie doszło do eksplozji zbiornika z paliwem, to jaki może być powód tak intensywnego zapachu?

Jaką wartość ma raport polskich archeologów?

Konkluzja raportu, że to zwierzęta mogły poroznosić na przestrzeni ponad kilometra ludzkie szczątki, jest śmieszna. Sam raport jest jednak kopalnią wiedzy. Rosjanie mogą pluć sobie w brodę, że zgodzili się na pracę naszych specjalistów na miejscu katastrofy. Najważniejsze jest to, iż jeszcze w październiku 2010 roku – a więc pół roku po tragedii – archeolodzy znaleźli w ziemi około trzydziestu tysięcy elementów, wśród nich ludzkie szczątki, z czego dziesięć tysięcy wykopano, sfotografowano i opisano. Teren badań archeologicznych został przez Rosjan ograniczony tylko do 163 arów i tylko na zachód od ulicy Kutuzowa. Kierując się rozłożeniem szczątków, archeolodzy oszacowali, że na całym obszarze zalega sześćdziesiąt tysięcy szczątków. Mimo, że mieli pozwolenie na wykonanie tylko dwudziestocentymetrowych odwiertów, zorientowali się, że ziemia była przekopana na niemal 60 centymetrów w głąb. W wielu miejscach nie ma już gruntu pierwotnego, lecz mamy nową warstwę ziemi. Po co ją tam nawieziono? Zapewne, by zatrzeć ślady po katastrofie.

Ani Jerzego Millera, ani Macieja Laska to nie przekonuje.

Poprosiłabym więc obu panów, aby wytłumaczyli, dlaczego po zderzeniu z ziemią z pionową prędkością najwyżej kilku metrów na sekundę maszyna roztrzaskała się na kilkadziesiąt tysięcy szczątków. I to na tak podmokłym, miękkim gruncie.

Komisja Millera podaje, że samolot uderzył w ziemię z prędkością bliską 300 kilometrów na godzinę.

Jest to wprowadzanie ludzi w błąd, gdyż to jest normalna prędkość pozioma, z jaką poruszają się samoloty podchodząc do lądowania. To jest też prędkość, z jaką poruszają się samochody na torze wyścigowym. Na zniszczenie nie ma wpływu ogólnie pojęta prędkość, lecz prędkość uderzenia w przeszkodę, czyli prędkość w kierunku prostopadłym do przeszkody. W Smoleńsku przeszkodą, o którą rozbił się rzekomo TU-154, była pozioma ziemia, a więc liczy się tylko pionowa prędkość opadania, a ta nigdy nie przekroczyła kilku metrów na sekundę.

„Na zdjęciach brzozy z 10 kwietnia nie widać żadnych elementów metalowych"

Ekspertyza biegłych stwierdza, że kawałki metalu na smoleńskiej brzozie pochodzą z „bardzo wysokim prawdopodobieństwem z samolotu TU-154".

Ciekawe zatem, gdzie prokuratorzy byli w kwietniu 2010 roku. I dlaczego badania tych metalowych fragmentów nie przeprowadzili zaraz po katastrofie. Prokuratura powinna się z tego wytłumaczyć. Gdyby brzozę zbadano w tamtym czasie, nie rozmawialibyśmy dzisiaj o prawdopodobieństwie, lecz o pewności.

Ta ekspertyza potwierdza ustalenia rządowej komisji. „To kolejna opinia kategorycznie mówiąca, że samolot, lecąc na bardzo małej wysokości, zderzył się z brzozą, w wyniku czego nastąpiło oderwanie fragmentów skrzydła, a samolot, wykonując niekontrolowany lot, zderzył się z ziemią" – argumentuje Maciej Lasek.

On rozpaczliwie szuka potwierdzenia tez rządowego raportu. We własnej obronie gotów jest wykorzystać każdą nadarzającą się okazję. Nawet go rozumiem. Nie pojmuję tylko, dlaczego chce z nas zrobić idiotów. Kilka godzin po katastrofie w rosyjskiej telewizji pojawiły się zdjęcia brzozy, na których nie ma żadnych kawałków metalu. Umieszczono je tam dopiero później. Tego samo dowodzą zdjęcia zrobione 10 kwietnia przez świadków zdarzenia.

Prokuratorzy tego nie wiedzą?

Byłam w prokuraturze razem z profesorem Witakowskim i zapytaliśmy śledczych, skąd wzięli fragmenty metalu poddane analizie biegłych.

Jaka była odpowiedź?

„Kawałki metalu dostaliśmy od Rosjan". Z całym szacunkiem, ale mam uwierzyć, że tuż po katastrofie Rosjanie usunęli je z brzozy, a potem zatknęli w drzewie raz jeszcze? Są jakieś granice absurdu. Fragmenty samolotu, które pojawiły się w brzozie, musiały tam być umieszczone jakiś czas po 10 kwietnia.

Po co?

By uwiarygodnić jedynie słuszną hipotezę o „pancernej" brzozie.

Mniejsze lub większe fragmenty samolotu znaleziono na koronach drzew w całej okolicy.

Zgadza się. Ale wytłumaczeniem tego „zjawiska" jest to, że samolot musiał zostać rozerwany w powietrzu. Dlatego szczątki pospadały, osiadając na pobliskich drzewach.

Brzoza nie była przyczyną katastrofy?

Hipotezę rozbicia tupolewa o brzozę obalił w 2012 roku między innymi profesor Wiesław Binienda. Z jego badań wynika, że lewe skrzydło nie mogło się urwać po zderzeniu z drzewem o takim obwodzie i podobnej wysokości.

Brzoza została złamana wcześniej?

To prawdopodobne. Wskazywałby na to brak soków, jakie pojawiają się o tej porze roku. Okres wegetacyjny drzew to marzec i kwiecień.

Wiadomo, że od lipca 2011 roku w posiadaniu prokuratury wojskowej jest opinia biegłych, że TU-154 przeleciał przynajmniej kilka metrów nad brzozą. Ekspertyza jest oparta na badaniu polskiej czarnej skrzynki (ATM--QAR) i stwierdza, że samolot w chwili rzekomego zderzenia się z drzewem leciał na wysokości od 11 do 14 metrów nad powierzchnią ziemi. W jaki sposób mógł więc zderzyć się z brzozą, która – zgodnie z ustaleniami MAK i komisji Millera – została uszkodzona na wysokości około 5 metrów nad ziemią?!

Smoleńska brzoza bez elementów metalowych, 13 kwietnia
(fot. dr Jan Gruszyński)

Dlaczego komisja Millera nie wzięła tej opinii pod uwagę?

Komisja zignorowała wszystkie opinie i ekspertyzy, które nie zgadzały się z góry założoną tezą raportu.

Powołuje się pani na uczestników Konferencji Smoleńskiej? Kto za nią stoi?

Naukowcy, którzy rozpoczęli niezależne badania katastrofy. Zarówno z polskich, jak i zagranicznych uczelni. Kiedy przeczytali raporty Anodiny i Millera, a później porównali je ze zdjęciami z miejsca katastrofy, nie mogli uwierzyć, że ktoś mógł podpisać się pod taką liczbą bzdur.

Rządowi politycy i zespół Macieja Laska podważają ich kompetencje. Są nazywani pseudoekspertami.

To są wybitni fachowcy o ugruntowanym i niekwestionowanym dorobku naukowym. Bardzo dużo ryzykują, ale nie wycofują się z własnych ustaleń. Pamiętam rechot, jaki się rozległ, gdy profesor Wiesław Binienda

**Profesor Wiesław Binienda
z Uniwersytetu Akron w Ohio**
dla „Wprost", 23 stycznia 2012 roku:

TU-154 nie mógł stracić skrzydła po uderzeniu w brzozę. Symulacja tego zjawiska pokazuje, że uszkodzenie skrzydła w wyniku kontaktu z brzozą jest ograniczone do krawędzi, bez uszkodzenia części nośnej skrzydła. Zbadałem przypadki przy różnym kącie uderzenia, różnej prędkości samolotu, grubszej średnicy brzozy, zmieniłem też gęstość brzozy smoleńskiej na tyle, że zatonęłaby w wodzie. W żadnym przypadku skrzydło by się nie urwało w wyniku zderzenia z brzozą […]. Fragment skrzydła [gdyby rzeczywiście urwało się przy zderzeniu z brzozą – przyp. red.] powinien spaść nie dalej niż 12 metrów od brzozy. Natomiast – jak wiadomo oficjalnie – kawałek ten został znaleziony 111 metrów od brzozy.

zaprezentował swoją symulację. Kpinom nie było końca. Nazwano go śmiesznym naukowcem z prowincjonalnego uniwersytetu. Wielkie musiało być zaskoczenie, gdy profesor został zaproszony do współpracy z Białym Domem i wszedł w skład grupy roboczej Prezydenckiej Rady Doradców do spraw Nauki i Techniki w USA.

Kim są eksperci z Polski?

Wystarczy przejrzeć listę uczestników konferencji. To elita polskich naukowców. Mózgiem przedsięwzięcia jest profesor Piotr Witakowski. To jego determinacja sprawiła, że odbyły się już trzy konferencje. Profesor monitoruje pracę prelegentów i współpracuje z grupą około stu naukowców. To wybitny specjalista i człowiek z klasą. Ludzi o takiej osobowości spotkałam w życiu niewielu. Brak słów, którymi mogłabym opisać moją wdzięczność za to, co zrobił, by dotrzeć do prawdy. Za swoje zaangażowanie zapłacił zresztą cenę. Akademia Górniczo-Hutnicza nie przedłużyła mu etatu, i to bez uzasadnienia. Ktoś powiedział mu tylko, że jest za stary.

To Prawo i Sprawiedliwość finansował konferencję?

Żadna partia nie wykłada na to ani złotówki. Naukowcy, którzy zgłaszają referaty, płacą za wszystko sami. Z wpisowego wynajmowana jest sala, składają się nawet na catering. Posłowie, na przykład Antoni Macierewicz, są na konferencji ważnymi, ale tylko gośćmi. Nie mają wpływu na jej organizację ani przebieg.

Nazwiska uczestników konferencji pokrywają się jednak z nazwiskami ekspertów zespołu.

Owszem, część uczestników konferencji współpracuje z zespołem Macierewicza. To ludzie o różnych poglądach politycznych, nienależący do żadnej partii. Połączyła ich jedna, nadrzędna myśl. Uznali, że oficjalna wersja katastrofy nie ma nic wspólnego z prawami fizyki. I dlatego nie mogą milczeć.

Kto decyduje o dopuszczeniu referatu?

Konferencja rządzi się identycznymi prawami jak wszystkie konferencje naukowe. Najpierw wypełnia się formularz zgłoszeniowy, potem wysyła referat z załącznikami. O jego zatwierdzeniu bądź odrzuceniu decyduje komitet naukowy. Po przejściu tej procedury naukowiec wnosi opłatę i może wziąć udział w zjeździe. Referaty to klasyczne publikacje naukowe.

Czy organizatorzy prosili o pomoc państwa?

Zwrócili się do Komitetu Mechaniki Polskiej Akademii Nauk, aby powołał zespół ekspertów. Dostali odmowę. Wystąpili do Narodowego Centrum Badania i Rozwoju o pokrycie kosztów konferencji. Odpowiedź była taka sama. Badaniami katastrofy chcieli zainteresować dziekanów wydziałów mechaniki oraz dyrektorów instytutów naukowych w całym kraju. Na dwudziestu siedmiu adresatów odpowiedziało tylko dwóch. Oczywiście negatywnie.

Część szósta

Lech Wałęsa

w *Faktach po Faktach*, 4 czerwca 2010 roku:

Rozmowa braci Kaczyńskich jest kluczem do wszystkiego.

* * *

Lech Wałęsa

w wywiadzie dla „Rzeczpospolitej",
23 stycznia 2014 roku:

Kiedy generałowie i piloci nie chcieli zgodzić się na wykonanie polecenia, mieli poważniejsze rzeczy do rozmowy. Czy lądować, czy nie? Czy przymuszać do lądowania, czy nie. Takie sprawy musiały być poruszane w tej rozmowie, a nie zdrowie matki. Niech treść tej rozmowy w końcu zostanie opublikowana. Poznamy odpowiedzialność ludzi za katastrofę i dowiemy się, kto ponosi winę za tragedię.

„To, co mówi Lech Wałęsa, jest niegodziwe"

Lech Wałęsa powtarza, że kluczem do wyjaśnienia katastrofy jest ujawnienie rozmowy braci Kaczyńskich.

To niedorzeczna i całkowicie nieprawdziwa teza. Wyobraża pan sobie, że Jarosław Kaczyński mówi do prezydenta: „Leszku, masz lądować niezależnie od wszystkiego!"? Wyobraża pan sobie, że brat radzi bratu, by narażał na śmierć swoją małżonkę? To była idealna, kochająca się rodzina. Bracia Kaczyńscy wzajemnie o siebie dbali i zawsze się denerwowali, gdy jeden z nich odbywał lot.

Z informacji prokuratury wynika, że rozmowa trwała około 30 sekund i odbyła się, jeszcze zanim załoga przekazała panu Kazanie meldunek o złej pogodzie. Ale to nie przeszkadza Lechowi Wałęsie przekraczać kolejnej granicy.

Edmund Klich opisuje, że już 10 kwietnia wieczorem, po wylądowaniu samolotu z Polski, Rosjanie praktycznie od wszystkiego nas odcięli.

To kolejne świadectwo, że już wtedy nie było mowy o jakiejkolwiek współpracy z Rosjanami! Nawet jeśli premier Tusk tuż po katastrofie zakładał dobrą wolę i życzliwość Rosji, to parę godzin później, po południu i wieczorem było wszystko jasne. Okazuje się, że pan Klich bał się, że jak wyjdzie z samolotu, to go zastrzelą! Tak wyglądała ta znakomita współpraca, za którą Ewa Kopacz kilka dni później podziękowała panu Putinowi. Relacja Edmunda Klicha to kolejne potwierdzenie, że w działaniach Rosjan od samego początku nie było przypadku.

Edmund Klich w rozmowie z Michałem Krzymowskim,
Moja czarna skrzynka (Warszawa 2012):

M.K.:
Co się działo po wylądowaniu w Smoleńsku?
E.K.:
Przez pierwsze 2 godziny nic. Rosjanie kazali nam czekać w samolocie.
M.K.:
Nie chciał pan jak najszybciej pójść na miejsce wypadku, obejrzeć rozmieszczenie ciał, stan wraku, zobaczyć czarne skrzynki?
E.K.:
Wszyscy się niecierpliwiliśmy, ale co mogliśmy zrobić? Miałem
przedrzeć się przez Rosjan i sam chodzić po lotnisku, żeby jeszcze mnie tam zastrzelili? To w końcu wojskowy teren. Zresztą, co
by mi to dało, gdybym poszedł i oglądał ciała. […] W Smoleńsku
zresztą i tak było na to za późno, bo gdy przylecieliśmy, część
ciał leżała już w trumnach. […] Prosiłem Rosjan o przepustki, że-
byśmy mogli swobodnie poruszać się po lotnisku. Morozow od
razu odpowiedział, że nie będzie chodzenia samopas. Jeśli gdzieś
chcemy iść, mamy to zgłaszać, i będziemy chodzić z miejscowymi
oficerami. Rosjanie od początku działali świadomie.

* * *

Edmund Klich w rozmowie z Michałem Krzymowskim,
Moja czarna skrzynka (Warszawa 2012)

[…] to był 15 kwietnia i nie mieliśmy jeszcze nagrań rozmów na
wieży, więc nie chciałem iść jeszcze na spięcie. Zacząłbym się
awanturować, wówczas niczego byśmy nie dostali. Zresztą, ja ich
mogłem punktować od samego początku, ale nikt mi o tym nie
powiedział. Jestem tylko małym urzędnikiem, a nie strategiem.
Gdyby ktoś do mnie zadzwonił z rządu i przekazał instrukcję, jak
postępować, np.: „Idziemy z Ruskimi na wojnę", tobym poszedł.
A że wsparcia nie było, działałem intuicyjnie. Trzymałem się trzynastego załącznika i nie eskalowałem konfliktu, bo uważałem, że
w ten sposób wyrwę więcej dokumentów.

Polski Akredytowany przy MAK robił wszystko, aby wyrwać od Rosjan, co się da. Lecz nie chciał się awanturować, bo – jak mówi – nie dostalibyśmy niczego, w tym tak ważnych nagrań z wieży.

W dniu 15 kwietnia, o którym mówi pan Klich, było już pozamiatane. Liczyły się pierwsze godziny po katastrofie. Dlaczego nie zareagował natychmiast? Nie widział, co Rosjanie robią na miejscu katastrofy? Nie widział, że przenoszą części samolotu, tną wrak i wybijają szyby w oknach? Z całym szacunkiem, ale nagranie z wieży ma znikome znaczenie wobec dowodów, które utraciliśmy w pierwszych pięciu dniach. O to nagranie można było walczyć dziesięć, pięćdziesiąt, a nawet sto dni po zdarzeniu. Zaniechania między innymi takich ludzi jak pan Klich doprowadziły do tego, że ważne dowody zostały bezpowrotnie utracone.

Nie stanął na wysokości zadania?

Nie znam ani jednej osoby, która zachowała się w Smoleńsku tak, jak powinna.

Akredytowany tłumaczy się, że nie miał żadnego wsparcia ze strony rządu.

W to akurat mu wierzę. Mogłam się o tym przekonać na własnej skórze podczas pobytu w Moskwie.

Edmund Klich opisuje w książce kłótnię z ministrem Millerem o status lotu. Miller miał mu powiedzieć, że lot był cywilny, i poradził mu, by w czasie rozmów z Rosjanami nie upierał się przy statusie wojskowym. Klich zarzuca Millerowi, że ten dał się ograć Rosjanom, ponieważ nie chciał przedłużać terminu, w jakim mieliśmy – po otrzymaniu projektu raportu MAK – opracować polskie uwagi. Doszło do tego, że nie zdążyliśmy ich przetłumaczyć na angielski.

To nie jedyne dziwne zachowanie Jerzego Millera. To on podpisał 31 maja 2010 roku memorandum o pozostawieniu w rękach Rosji czarnych skrzynek. Pamiętam konferencję ministra, kiedy dziennikarze upierali się, że to był jednak lot wojskowy. Pan Miller wycedził wtedy przez zęby: „To jest lot cywilny i koniec". Zastanawiam się, co takiego stało się z człowiekiem uważanym za wzór sumiennego urzędnika.

„Rzeczpospolita", 12 stycznia 2012 roku:

Słowa, które komisja Millera i rosyjski Międzypaństwowy Komitet Lotniczy (MAK) przypisywały generałowi Andrzejowi Błasikowi, w rzeczywistości wypowiadał drugi pilot mjr Robert Grzywna – ustalili biegli z Instytutu Ekspertyz Sądowych im. prof. dr. Jana Sehna w Krakowie. Ustalenia biegłych podważyły jedną z najważniejszych tez raportów MAK i komisji Millera o tym, że obecność dowódcy Sił Powietrznych w kabinie pilotów pośrednio wywierała na nich presję.

W marcu 2014 roku Instytut Ekspertyz Sądowych wykluczył jakąkolwiek obecność alkoholu we krwi gen. Błasika.

A jak pani ocenia samego Edmunda Klicha?

Wciąż niejasne są dla mnie okoliczności rozmowy telefonicznej, jaką przeprowadził 10 kwietnia. Dlaczego Andriej Morozow, zastępca szefowej MAK, zadzwonił akurat do niego i przedstawił pomysł, aby katastrofa była wyjaśniana według 13 załącznika konwencji chicagowskiej? Kilka dni po katastrofie Edmund Klich powiedział w telewizji: „gdybyście się Państwo dowiedzieli, co tam jest, to byłaby trzecia wojna światowa". Pomyślałam, że to właściwy człowiek na właściwym miejscu. Zmieniłam zdanie, gdy bez żadnych dowodów ogłosił, iż w kokpicie samolotu był generał Błasik. Potem było tajemnicze nagranie wykonane przez niego w gabinecie ministra obrony Bogdana Klicha. Dobrze zapamiętałam jego słowa o skrzydle, że „jak walnęło, to urwało".

Pan Klich to dla mnie postać zagadkowa, a zarazem groteskowa. Ciekawe jest jednak to, co mówi. Myślę, że znacznie więcej powiedziałby pod przysięgą. Przyjdzie taki czas, kiedy ktoś z bohaterów tamtych dni złamie zmowę milczenia i opowie całą prawdę o tym, co działo się w Smoleńsku i Moskwie. Broniąc samych siebie, mogą ujawnić wiele skrywanych dotąd faktów.

Generał Sławomir Petelicki, który popełnił samobójstwo kilka miesięcy przed Remigiuszem Musiem, ujawnił, że politycy Platformy Obywatelskiej dostali 10 kwietnia SMS o treści: „Katastrofę spowodowali piloci, którzy zeszli we mgle poniżej 100 metrów. Do ustalenia pozostaje, kto ich do tego skłonił". Po co i dlaczego wysłano taką wiadomość?

To miała być obowiązująca narracja. Spójny, jednolity przekaz dla członków partii, by wiedzieli, jak myśleć i mówić w mediach o katastrofie. Dodajmy, że przekaz nieprawdziwy. To straszne, że w momencie tak wielkiej narodowej tragedii znaleźli się ludzie, dla których najważniejszy był tak zwany przekaz dnia. Czy przyzwoity człowiek zastanawiałby się w takiej chwili nad własnym wizerunkiem, a z drugiej strony napiętnował załogę samolotu?! Nie potrafię tego zrozumieć.

Generał Petelicki twierdził, że autorem SMS-a miał być ktoś z trójki: Donald Tusk, Tomasz Arabski, Paweł Graś. Politycy PO temu zaprzeczają.

To tak odrażające, że trudno mi tę sprawę komentować.

Czy treść SMS-a to dowód na to, że – jak mówił generał – premier Tusk spanikował i autentycznie się przestraszył?

Taka wersja wiele by wyjaśniała.

Podobno po katastrofie minister obrony Bogdan Klich proponował, by poprosić NATO o pomoc, ale premier Tusk się nie zgodził.

Jeśli przyjąć najbardziej korzystną dla Donalda Tuska wersję zdarzeń, to nawet jeżeli na początku zakładał, że poradzi sobie sam, po kilkudziesięciu godzinach wiedział, iż to jest niewykonalne.

Prośba do NATO było jego obowiązkiem?

Tak.

W jaki sposób podjęto decyzję o przyjęciu konwencji chicagowskiej?

Nie ma żadnego dokumentu rządowego w tej sprawie.

Może w ogóle jej nie podjęto?

To prawdopodobne. Rosjanie powiedzieli nam, że badamy katastrofę według 13 załącznika, a my zaczęliśmy postępować według reguł narzuconych przez Moskwę. Zgoda na piśmie lub wyrażona ustnie nie była potrzebna. Wystarczyło, że zaczęliśmy realizować życzenia Rosjan i w ten sposób umowa mogła zostać zawarta w sposób dorozumiany.

„Prokuratura protestowała przeciw budowie pomnika w Smoleńsku"

Ambasador w Moskwie Katarzyna Pełczyńska-Nałęcz w swoim pierwszym wywiadzie dla mediów rosyjskich powiedziała, że „wrak tupolewa ma znaczenie symboliczne i powinien wrócić do Polski".

Już od 2010 roku politycy rządowi używają w wypowiedziach zbitki „wrak-symbol". O wraku, który nie jest dowodem, lecz tylko symbolem, mówili ministrowie Sikorski, Klich i Zdrojewski. Ten ostatni niedługo po 10 kwietnia zaczął z Rosjanami rozmowy o budowie pomnika na miejscu katastrofy. Nawet prokuratura wojskowa przeciwko temu protestowała.

Ale nie publicznie.

Z powodów dyplomatycznych prokuratorzy robili to po cichu. Ale ich protest był jednoznaczny i wynikał z oczywistych przyczyn. Otóż prace nad takim pomnikiem mogły doprowadzić do zatarcia śladów.

Rząd nie zdawał sobie z tego sprawy?

Nie sądzę, żeby to wynikało z głupoty rządzących. Raczej z przyjętego od początku oficjalnego przekazu. Rząd zachowuje się, jakby śledztwo zostało już zakończone w momencie ogłoszenia raportu Millera. Może sobie więc pozwolić na deprecjonowanie tak ważnego dowodu jak wrak samolotu gnijący od pięciu lat w Smoleńsku. Oni uważają, że sprawa jest zamknięta. Koniec, kropka.

Holandia odzyskała wrak boeinga pięć miesięcy po zestrzeleniu nad Ukrainą, my nie możemy się doprosić o tupolewa od pięciu lat. Dlaczego?

Z pewnością zmieniła się sytuacja na świecie. Inaczej niż w kwietniu 2010 roku Rosja nie jest już pieszczochem Zachodu. Nie mogła więc zignorować nacisku państw, które zgodnie z życzeniem Holandii domagały się zwrotu szczątków maszyny. Przypadek Polski jest inny. Rosjanie zdają sobie sprawę, że nasz rząd nie jest zdeterminowany, aby odzyskać swoją własność. Nie chodzi tylko o słabą pozycję Polski, lecz o to, że rządzącym tak naprawdę nie zależy na ściągnięciu wraku.

I Tusk, i Sikorski, i Schetyna powtarzali, że pragną powrotu tupolewa. Na prośbę Sikorskiego rozmawiali na ten temat Ashton z Ławrowem.

I co? Zauważył pan jakieś skutki tej rzekomej ofensywy dyplomatycznej? Wyjaśnienie katastrofy nie jest obecnej władzy do niczego potrzebne. Ona boi się rzetelnego śledztwa.

Dlaczego?

Bo pogrążyłoby ją samą. Niezależnie od tego, czy był zamach, czy też jedynie zlekceważenie procedur bezpieczeństwa lotu. W jednym i drugim przypadku mogłoby się okazać, że pasażerowie tupolewa stali się ofiarami polityki, a dokładniej – działań rządu wymierzonych w prezydenta Kaczyńskiego. Dlatego wersja o winie pilotów była, jest i będzie dla obecnej władzy najkorzystniejsza. I ona będzie się jej trzymać.

Jeszcze jako szef MSZ Radosław Sikorski oświadczył, że „rodziny powinny dokonać wyboru: albo chcą zwrotu wraku, albo wybierają odszkodowania". To była reakcja na zapowiedź brytyjskich prawników, którzy mają pomóc rodzinom ofiar samolotu malezyjskiego w przygotowaniu pozwów przeciw Rosji.

Nie była to pierwsza bezczelna wypowiedź pana Sikorskiego. My chcemy prawdy i zwrotu wraku, który jest najważniejszym dowodem. Zamiast iść w ślady Tuska, Sikorski powinien wyjaśnić, dlaczego rodziny smoleńskie nie mają prawnika, który mógłby nas reprezentować w Moskwie. Żadnej z rodzin nie stać na wynajęcie własnego adwokata, który byłby pełnomocnikiem w rosyjskim postępowaniu. W tym śledztwie przysługuje nam status osób pokrzywdzonych. Istnieje więc – nawet biorąc pod uwagę ułomność tamtejszej procedury – niewielka szansa, byśmy otrzymali dostęp do materiałów postępowania.

Prosiliście MSZ o pomoc?

Nasze rozmowy skończyły się niczym. Urzędnicy przekazali nam telefony do ambasady w Moskwie i powiedzieli, by tam dzwonić. To jakiś żart. Żadnej z rodzin nie stać na podróże do Rosji, nie mówiąc o honorarium dla rosyjskich prawników. Potrzebna jest pomoc państwa. Ale z tej strony spotyka nas obojętność.

Co opinia międzynarodowa wie o Smoleńsku?

Niewiele. Fatalną opinię zrobił nam film *Śmierć prezydenta*, pokazany w National Geographic. Byłam nim zdruzgotana. Scenariusz został oparty na rosyjskim raporcie, od początku do końca kłamliwym.

Wystąpili w nim także polscy eksperci.

I to było najgorsze. Jerzy Miller i członkowie jego komisji przyłożyli rękę do upowszechnienia nieprawdziwego przebiegu katastrofy. W świat poszedł przekaz, że przyczyna jest banalnie prosta. Zawiniła brawura polskiej załogi, naciski polityków na pilotów i zła pogoda. Rosyjski punkt widzenia został przedstawiony jako prawda obowiązująca. Z bólem patrzyłam, jak minister Miller uczestniczy w czymś takim.

***Katastrofy w przestworzach* to jedna z najbardziej rzetelnych serii filmów dokumentalnych.**

W tym przypadku autorzy okazali się wyjątkowo nierzetelni. Przede wszystkim nie dopuścili do głosu tych, którzy podważają oficjalną wersję. Moja ciocia rozmawiała w Londynie z właścicielem dużej kancelarii adwokackiej, mającej oddziały w sześciu krajach. Powiedział, że on dobrze wie, jak było w Smoleńsku, bo oglądał film. Kiedy ciocia powiedziała, że film nie mówi prawdy, był w wielkim szoku. „No co ty?! To niemożliwe, tam wszystko przecież zostało pokazane".

Profesor Kazimierz Nowaczyk, do 2013 roku pracował na Wydziale Biochemii i Biologii Molekularnej Szkoły Medycznej University of Maryland w Baltimore; wypowiedź dla Niezalezna.pl:

[…] podczas odejścia na drugi krąg w samolocie nastąpiła eksplozja kilkadziesiąt metrów przed brzozą, a na dystansie kolejnych 200–300 metrów miała miejsce dalsza destrukcja skrzydła wraz z urwaniem jego końcówki. Następnie jeszcze przed uderzeniem w ziemię miała miejsce eksplozja w kadłubie samolotu, która zniszczyła jego strukturę; końcowym etapem katastrofy był wybuch w prezydenckiej salonce, już po uderzeniu samolotu w ziemię. Hipotezę takiego przebiegu katastrofy potwierdzają następujące fakty: rozpad samolotu na ogromną liczbę szczątków, zapis o całkowitym zaniku zasilania elektrycznego w powietrzu na wysokości 15 metrów, zarejestrowane w czarnych skrzynkach gwałtowne zmiany przyspieszenia pionowego i obecność na szczątkach śladów materiałów wybuchowych.

Który z fragmentów filmu był najbardziej nieprawdziwy?

Całe mnóstwo. Była mowa, że wizyta w kabinie ministra Kazany mogła wywrzeć wpływ na kapitana Protasiuka, a to manipulacja. Autorzy pominęli obecność pułkownika Krasnokutskiego w wieży i jego naciski na kontrolerów, by za wszelką cenę sprowadzili samolot na ziemię. Nic wspólnego z prawdą nie miała też opowieść o wspaniałej polsko-rosyjskiej współpracy. Wystarczy przeczytać polskie uwagi końcowe do raportu MAK, żeby przekonać się, jak było naprawdę.

Z opisu stenogramów ujawnionych przez NPW:

Na płycie DVD-R, stanowiącej dowód nr 1, znajdują się dwa pliki. [...] Jak wynika z treści protokołu z dnia 7 lipca 2010 roku, przekazanego wraz z płytą, pliki te zawierają kopie zapisów utrwalonych na nośniku pokładowego rejestratora samolotu Jak-40 o numerze bocznym 044 [...] podział kopiowanych zapisów na dwie części, zapisane w dwóch przedmiotowych plikach, wynika z zerwania się nośnika pokładowego rejestratora samolotu Jak-40, tj. drutu magnetycznego, w czasie czynności kopiowania.

„Prokuratorzy poruszają się od ściany do ściany i po prostu lawirują"

Po blisko pięciu latach prokuratura ujawniła stenogram z magnetofonu jaka-40. Prokuratorzy oświadczyli, że wieża w Smoleńsku nie wydała załodze tupolewa komendy zejścia do 50 metrów nad ziemią.

Cała konferencja prokuratury była manipulacją.

Na czym ona polegała?

Wbrew zapowiedziom nie zaprezentowano zapisu z rejestratora z jaka-40, lecz kompilację rozmów z wieży i fragmenty korespondencji z samolotu, pilotowanego przez Artura Wosztyla. Przy okazji wyszło na jaw, że doszło do zerwania magnetofonu drutowego z jaka-40. To, że w czasie postępowania uszkodzono tak ważny dowód, jest rzeczą niebywałą. Należy pamiętać, że to jedyny rejestrator, który nie dostał się w rosyjskie ręce. Rzeczą niespotykaną było również zachowanie prokuratora Maksjana, który cytując zeznania nieżyjącego świadka, podważył jego wiarygodność. I to wszystko w czasie, kiedy śledztwo nie jest jeszcze zakończone.

Prokurator Maksjan twierdzi, że chorąży Remigiusz Muś zmienił zeznania o tym, że słyszał, jak Rosjanie mówili o zejściu na 50 metrów. W trzecim zeznaniu miał się z tego wycofać. „Proszę, zwróćcie uwagę na ewolucję treści składanych zeznań, to jest bardzo interesujące" – mówił major Maksjan.

Rzeczywiście, w zeznaniach świętej pamięci Remigiusza Musia takie słowa padły, tyle tylko, że w momencie, gdy przedstawiono mu zupełnie inny

Remigiusz Muś, zeznanie w prokuraturze,
portal Wpolityce.pl, 29 października 2012 roku:

W końcowej fazie lotu kontroler zapytał się, czy chcą lądować [załoga TU-154M – przyp. red.]. Załoga odpowiedziała, że warunkowo podejdziemy. Kontroler wyraził zgodę na podejście. Ja nie słyszałem, aby kontroler zabronił im lądowania i odejścia na zapasowe. Wydaje mi się, że kontroler powiedział TU-154M, że mają być gotowi do odejścia na drugi krąg z wysokości nie mniejszej niż 50 metrów. […] Usłyszeliśmy charakterystyczne gwiżdżące brzmienie silników tupolewa, typowe dla zmniejszanych obrotów przy zniżaniu. Nagle obroty wzrosły do maksymalnych, po dwóch sekundach uderzenie i trzy wybuchy, i krótko trwający dźwięk zatrzymującego się jednego silnika, a potem już cisza.

fragment nagrania. Zauważył to Artur Wosztyl. Owszem, prokurator ma prawo do cytowania zeznań świadków, ale nie ma prawa do wprowadzania opinii publicznej w błąd.

Po co prokuratura upubliczniła ten cytat?

Zapewne chodziło o wskazanie fragmentu, który odpowiada wersji katastrofy lansowanej przez MAK i komisję Millera. Prokuratorzy wyciągnęli fragment, który był dla nich wygodny. Świadomie podkreślili jego rzekomą wagę, choć pozostały materiał dowodowy, który jest w ich rękach, temu przeczy.

Są trzy zeznania Remigiusza Musia. W dwóch mówi o komendzie zejścia na 50 metrów. W trzecim jakby się z tego wycofywał. Które z nich jest najbardziej wiarygodne?

Jeśli świadek celowo nie kłamie albo nie ukrywa pewnych faktów, to najbardziej wiarygodne jest zeznanie złożone najwcześniej. Z prostej przyczyny. Im bliżej opisywanego zdarzenia, tym pamięć jest lepsza. W pierwszych zeznaniach zarówno Wosztyl, jak i Muś są pewni tego, co mówią. Chorąży Muś zaczyna się wahać dopiero w wyniku naprowadzania go przez prokuratora. Ale powtórzmy, jeśli było tak, jak mówi kapitan Wosztyl, że puszczony fragment dotyczył zupełnie innej części stenogramu, zachowanie prokuratorów nie mieści mi się w głowie.

„Biegli stwierdzili, że nie ma mowy o żadnym fałszerstwie. Dla nas ta sprawa jest w tej chwili tematem zamkniętym. My bazujemy na dowodach, wynika z nich, że te słowa nie padły" – oświadczył major Maksjan. Prokuratura nie ma żadnych wątpliwości.

To jest sytuacja podobna do tej, kiedy Andrzej Seremet ogłosił, że zamach został wykluczony, a informacja ta pojawiła się natychmiast na paskach wszystkich telewizji. Potem okazało się, że prokurator generalny złożył taką deklarację, jeszcze zanim prokuratura zleciła badanie na obecność materiałów wybuchowych na wraku tupolewa. Pośpiech w śledztwie nigdy nie jest wskazany, bo może się skończyć kompromitacją.

Artur Wosztyl,
„Gazeta Polska" z grudnia 2012 roku:

Rozmawiałem z nim tydzień przed tym tragicznym zdarzeniem [śmiercią – przyp. red.]. Nie wyglądał na człowieka, który mógłby posunąć się do czegoś takiego. Naprawdę nic na to nie wskazywało. Informacją o śmierci Remka byłem więc ogromnie zszokowany. Tym bardziej że w ostatniej rozmowie ze mną, w piątek 19 października, Remek mówił, że ma bardzo dużo planów na nadchodzący tydzień.

Wróćmy do uszkodzenia bądź zniszczenia magnetofonu drutowego z jaka-40. Jak mogło do tego dojść?

Zdarza się, że biegli badają unikalny materiał dowodowy. Przykładowo, poddają ekspertyzie dokument wielkości kilku centymetrów kwadratowych. Zawsze w takiej sytuacji wysyłają zapytanie, czy sąd zgadza się na badanie mimo ryzyka, że podczas czynności dokument może zostać uszkodzony albo zniszczony. Do dzieła przystępują, dopiero kiedy jest zgoda sądu. Tymczasem tutaj mamy do czynienia z jednym z najważniejszych dowodów śledztwa, który po tym, jak dostaje się w ręce komisji Millera, zostaje zniszczony lub uszkodzony! Przez blisko pięć lat opinia publiczna nie wie, co się z nim dzieje, a prokurator Maksjan na konferencji prasowej nie poświęca tej sprawie ani pół zdania. Jakby tego było mało, kapitan Wosztyl twierdzi, że nie ma najważniejszej części nagrania, w której miała paść komenda o 50 metrach. Jeśli to nie jest czysta manipulacja, to co to jest?

To mogło być przypadkowe uszkodzenie.

To bajka dla małych dziewczynek. Zbyt długo pracuję, żebym mogła w to uwierzyć. W każdym cywilizowanym kraju dawno zostałoby wszczęte postępowanie w tej sprawie, i to niezależnie od tego, czy uszkodzenie nastąpiło celowo, czy przypadkowo. Śledztwo powinno objąć osoby, które miały zabezpieczyć dowód, lecz nie dopełniły obowiązków. Prokuratorzy powinni odnieść się do faktu, że Instytut Sehna pracował na kopii, a nie na oryginale zapisu rejestratora z jaka-40.

Wszyscy członkowie załogi jaka-40 zeznali, że słyszeli komendę o zejściu tupolewa na 50 metrów. Czy aż tylu świadków mogło się przesłyszeć?

Zapis z rejestratora jaka-40 jest dowodem o najwyższej wartości, ponieważ Rosjanie nie mieli możliwości ingerowania w jego treść. I ten dowód dostaje się w ręce członków komisji Jerzego Millera. Dzieje się to zaraz po katastrofie w 2010 roku. Tymczasem Remigiusz Muś składa jedno, potem drugie i trzecie zeznanie w prokuraturze. I nagle, w październiku 2012 roku, popełnia samobójstwo. Czy to nie jest dziwne? To, co teraz zrobiła prokuratura z jego zeznaniami, jest szyte grubymi nićmi. Zaczynam mieć wątpliwości, czy rzeczywiście było to samobójstwo.

Prokuratura stwierdziła, że nie ma mowy, żeby ktoś pomógł mu umrzeć.

Żadne słowa prokuratury o tym, że wszystko było w porządku, nie zmienią mojego zdania. Nie można tutaj wykluczyć „pomocy" nieznanych sprawców. Prawdziwi fachowcy nie zostawiają żadnych śladów. Remigiusz Muś miał żonę, dzieci. I ktoś taki zostawia całą swoją rodzinę? Jego śmierć, zwłaszcza w kontekście uszkodzonego dowodu, jest zastanawiająca.

Rok po śmierci Remigiusza Musia Arturowi Wosztylowi „nieznani sprawcy" przecięli w samochodzie przewody hamulcowe.

Pamiętam reakcję pana Wosztyla po śmierci kolegi. Był przerażony i trudno mu się dziwić. Kapitan jaka-40 zdał sobie sprawę, w jakiej znalazł się sytuacji i jakie może to mieć dla niego konsekwencje.

Prokuratorzy, podważając zeznania pilotów z jaka-40, stanęli po stronie Rosjan?

Mają obowiązek stania po stronie prawdy. Jeżeli okaże się, że tego nie uczynili, sami staną przed wymiarem sprawiedliwości. Cały ten komunikat prokuratury – wbrew niektórym medialnym relacjom – niczego nie przesądza, a jedynie wprowadza dezorientację.

Prokuratura publikuje stenogram z wieży kontroli lotów. Nagranie to zostało nam przekazane przez Rosjan. Jaka jest jego wiarygodność?

Jeśli złapałam kogoś na kłamstwie dwa, trzy, cztery i więcej razy, to trudno uwierzyć w kolejną historię, którą ta osoba opowiada. Jeśli Rosjanie tyle razy przekazywali nam dowody wątpliwej jakości, które były fałszowane, to czy można traktować poważnie kolejne materiały, które od nich dostajemy?

Stenogramy z wieży pokazują panującą tam dezorganizację i chaos. Czy takie okoliczności nie przemawiają za tym, że nie było żadnego spisku, lecz nieszczęśliwy wypadek?

Byłabym bardzo ostrożna w tym, żeby podkreślać te okoliczności.

Dlaczego?

Dowody trzeba analizować w całości, a nie każdy z osobna. Dzisiaj wiemy, że doszło do rozczłonkowania samolotu na tysiące drobnych części. Dlatego sprawa komendy zejścia na 50 czy 100 metrów jest ważna, ale wcale nie najważniejsza. Kluczowe jest to, że na pewnej wysokości maszyna przestała działać i piloci stracili nad nią panowanie. Niezależni eksperci podkreślają, że samolot nie zszedł poniżej 100 metrów, tylko zaczął z tej wysokości spadać.

Maciej Lasek uważa, że ustalenia prokuratury potwierdzają wnioski komisji Millera i są z nią spójne. Deprecjonuje przy tym wartość zeznań Remigiusza Musia, zwracając uwagę, że Muś, tak jak cała załoga, słabo znał rosyjski.

Lepiej, by w obliczu tego, co się stało, pan Lasek stanął przed dziennikarzami i wyjaśnił, kiedy dostał oryginał taśmy z jaka-40, co się z nim działo i w jakim stanie taśma wyszła z jego komisji.

Powinien się wytłumaczyć?

Cała komisja powinna to zrobić. Jeśli urzędnicy państwowi mogą dopuścić do zniszczenia albo uszkodzenia tak ważnego dowodu i za to nie odpowiadają, to w imię czego ma przestrzegać prawa zwykły obywatel?

* * *

W odróżnieniu od innych rodzin smoleńskich czy polityków PiS pani nigdy nie atakowała frontalnie prokuratury.

Po prostu każdy z nas dysponował inną wiedzą. Kiedy miałam powody, krytykowałam działania prokuratury. Gdy widziałam dobre posunięcia, nie miałam powodów, by nie pochwalić. Swego czasu dobrą robotę wykonywał prokurator Kopczyk, jego wnioski do Rosjan były celne i wymagały sporej odwagi. Dobrze oceniam fakt zlecenia ekspertyzy, która wykluczyła obecność alkoholu we krwi generała Błasika. W pewnym momencie odniosłam wrażenie, że prokuratorzy wiedzą, co naprawdę wydarzyło się 10 kwietnia, i zdają sobie sprawę, że musiało dojść do wybuchu. Niestety, zachowywali się tak, jakby obawiali się rezultatów badań, które sami zlecili.

Jak były traktowane opinie niezależnych ekspertów?

Wiem, że prokuratorzy nie tylko czytali ich ekspertyzy, ale niektóre włączyli również do akt śledztwa. Niezależne opinie były nawet przedstawiane biegłym, którzy uwzględniali je we własnych dochodzeniach. Pozarządowi eksperci cały czas depczą prokuratorom po piętach.

Jak więc wyjaśnić ich oficjalne stanowisko, które drastycznie rozmija się z tym, o czym pani opowiada?

Prokuratorzy poruszają się od ściany do ściany i po prostu lawirują. Znaleźli się w trudnej sytuacji, ale sami do niej doprowadzili.

Ma pani jeszcze do nich zaufanie?

Utraciłam je bezpowrotnie po konferencji, na której chcieli zdyskredytować chorążego Remigiusza Musia. Szkoda, bo zakładałam ich dobrą wolę. Ale złudzenia prysły.

Jaki był ich największy błąd?

Było ich mnóstwo, ale najpoważniejszy to ich początkowa bezczynność. Należałoby zapytać, dlaczego faktyczne badanie katastrofy rozpoczęli dopiero w sierpniu 2011 roku, bo dopiero wówczas powołano zespół biegłych. Co robili wcześniej, przez bite osiemnaście miesięcy? Z pewnością powinny też wrócić pytania o pierwsze godziny po katastrofie. Jakie czynności wykonali 10, 11 i 12 kwietnia w Smoleńsku? Dlaczego nie dokonali oględzin, nie zabezpieczyli materiału dowodowego i nie wykonali sekcji zwłok?

Nie dopełnili swych obowiązków?

To oczywiste.

Niektórzy uważają, że śledztwo trwa już bardzo długo i najwyższa pora je skończyć.

Taki postulat mogą mieć jedynie dyletanci. Albo jest potrzeba przeprowadzenia badań i wtedy śledztwo musi być kontynuowane, albo badania zostały wykonane i postępowanie się zamyka. O ile wiem, prokuratura nie wykonała wielu czynności, które wykonać powinna.

Ma jeszcze szanse na rehabilitację?

To zależy od samych prokuratorów. Od tego, czy stać ich będzie na podjęcie kilku ważnych decyzji i publiczne oświadczenie: „Tak, niczego nie ukrywamy. Tak, robimy ekshumacje. Tak, zlecamy ekspertyzy ośrodkom badawczym niezależnym od rządu". Nadzieja, że coś takiego nastąpi, jest jednak minimalna.

A co jeśli śledztwo zakończy się umorzeniem?

Wtedy pójdziemy do Strasburga. Po umorzeniu mamy sześć miesięcy na odwołanie się do Międzynarodowego Trybunału i złożenie skargi na polskie państwo.

„Jestem gotowa polecieć nawet na księżyc, aby wyjaśnić tę katastrofę"

Polska przegrywa sprawę Smoleńska na forum międzynarodowym?

Polska jako państwo nie chce, by świat zainteresował się katastrofą. Podejmowane przez nas działania, czy to w Parlamencie Europejskim, czy gdzie indziej, są torpedowane albo wyśmiewane.

Kongres USA powinien się zająć katastrofą?

Jak najbardziej. To naturalne, że jeśli nie można doprosić się interwencji własnego państwa, zwracamy się o pomoc do innych. Jeśli moje państwo mnie lekceważy, nie mam innego wyjścia.

Ale czy w porządku jest oskarżać własny kraj na forum międzynarodowym?

A w porządku było zostawiać naszych obywateli w smoleńskim błocie na pastwę Rosjan? Jestem gotowa polecieć nawet na księżyc, by wyjaśnić tę katastrofę.

Powinna powstać nowa komisja?

Tylko premier może wznowić pracę starej albo powołać nową komisję. Trzeba było to zrobić już wtedy, gdy prokuratura wykluczyła obecność w kokpicie Andrzeja Błasika. Oba raporty opierały się na bezwzględnym założeniu, że generał tam przebywał. Jeśli prokuratura je podważyła, komisja powinna się do tego ustosunkować. Tymczasem panowie Tusk i Lasek spotkali się, pogadali i wydali komunikat, że nie ma potrzeby wznawiać jej pracy.

Oczekuje pani od premier Kopacz, żeby wznowiła pracę komisji?

Powinna powołać komisję w nowym składzie. W takiej komisji powinni się znaleźć i eksperci rządowi, i naukowcy z Konferencji Smoleńskiej. Tylko taka komisja mogłaby stworzyć obiektywny raport. By był on do przyjęcia dla każdego.

Jest szansa na rzetelne śledztwo w Rosji?

Od władz w Moskwie niczego nie oczekuję. Będę mile zaskoczona, jeśli po zmianie ekipy na Kremlu coś się zmieni, ale nie bardzo w to wierzę. Jestem Polką, mój tata był polskim obywatelem i polskim posłem, który zginął podczas wizyty polskiej delegacji. I od polskiego rządu domagam się, aby wyjaśnił tajemnicę jego śmierci.

Czy Donald Tusk jako przewodniczący Rady Europejskiej mógłby wykorzystać swoją pozycję i wpływy, by pomóc w śledztwie?

Proszę nie żartować. Czego można oczekiwać od człowieka, który jako premier w tej sprawie zrobił tak niewiele? Wszyscy słyszeliśmy, że odwoła się od raportu MAK do instytucji międzynarodowych. Nie zrobił nic.

Kiedy Radosław Sikorski ujawnił, że w czasie rozmowy Putin–Tusk zaproponowano Polsce rozbiór Ukrainy, Moskwa natychmiast oświadczyła, że może ujawnić stenogram rozmów. To był sygnał, że Rosjanie są w każdej chwili gotowi upublicznić niewygodne dla Tuska materiały. Zarówno te sprzed katastrofy, jak i te zgromadzone po niej. Nie wiem, czy politycy Platformy zdają sobie sprawę, że Rosjanie nie są ich przyjaciółmi. I nie cofną się przed wypuszczeniem materiału, który może ich skompromitować.

Podpisała się pani pod prywatnym aktem oskarżenia pięciu osób, które odpowiadają za organizację lotu do Smoleńska. Są wśród nich Tomasz A. (były szef kancelarii premiera w rządzie Donalda Tuska), dwoje urzędników Kancelarii Premiera oraz dwoje przedstawicieli ambasady w Moskwie. Za niedopełnienie obowiązków grozi im do trzech lat więzienia. Czy takiego wyroku pani oczekuje?

Nie wypowiadam się o karze, którą powinien wymierzyć sąd. Najważniejsze jest, żeby sąd stwierdził po pięciu, a może nawet po dziesięciu latach,

e ktoś odpowiada za zaniedbania. Kiedy na Łotwie w Rydze zawalił się su-
)ermarket i zginęły pięćdziesiąt cztery osoby, tamtejszy premier podał się
lo dymisji. A przecież nikt nie oskarżał go o spowodowanie tej katastrofy
)udowlanej. Czy któryś z polskich polityków postąpił w równie honorowy
sposób po 10 kwietnia 2010?

Część siódma

„Każda sprawa jest dla mnie najważniejsza"

Adwokatem została pani pod wpływem ojca?

Od dziecka przysłuchiwałam się rozmowom rodziców, które krążyły wokół wymiaru sprawiedliwości. O zostaniu adwokatem marzyłam od czwartej klasy podstawówki. Nie byłam pewna, czy dostanę się na prawo, więc przygotowałam plan awaryjny. Gdyby nie wypaliły studia na Uniwersytecie Jagiellońskim, pewnie zostałabym kosmetyczką. Nie jestem typową kobietą, nie znoszę chodzić po sklepach, ale w perfumeriach potrafię spędzić nawet 2 godziny.

Ojciec poparł pani wybór?

Gdy dowiedział się, że idę na prawo, przeprowadził ze mną rozmowę ostrzegawczą. Próbował mi uświadomić, że bycie adwokatem to nie jest zabawa i będę musiała się zetknąć z kryminalistami.

Namawiał na zmianę kierunku?

To była krótka rozmowa, ale bez wywierania presji. Na zasadzie: „Chcesz się w to bawić, to spróbuj, ale pamiętaj, że to nie jest łatwy kawałek chleba". W czasie studiów zaczęłam pracować w poradni, w której studenci udzielali darmowych konsultacji. Byłam szczęśliwa, kiedy jako jedynej osobie na roku pozwolono mi zostać tam dłużej niż dwanaście miesięcy.

Teraz jest pani „adwokatem od wszystkiego"?

Nie prowadzę selekcji klientów. Mam takich, dla których strata miliona złotych nie jest wielkim dramatem. Ale pracuję też dla tych, którzy ledwo wiążą koniec z końcem. Nie wyznaję zasady bardziej znanych kolegów, którzy nie przyjmują „spraw nie do wygrania", by nie psuć sobie statystyk. W tej chwili mam „na biegu" około dwustu spraw. Jedna trzecia to sprawy karne.

Z każdym klientem wiąże się pani psychicznie?

W tym sensie, że każda sprawa jest dla mnie najważniejsza.

Broni pani zabójców?

Taki zawód. Jak każdy adwokat nie osądzam tych ludzi. Broniłam nastolatka z Nowej Huty, który zabił rówieśnika. Wbił mu nóż prosto w nerkę. Podczas widzenia z miną dziecka wyznał mi, że nie miał pojęcia, dlaczego to zrobił. Inny chłopak oskarżony o pobicie ze skutkiem śmiertelnym zapytał, czy długo będzie siedział, bo w celi nie czuje się najlepiej. Kompletnie nie zdawał sobie sprawy z tego, co uczynił. Nastolatków staram się maksymalnie „postraszyć" długoletnią odsiadką, by zrozumieli, że jeśli się nie zmienią, mogą zmarnować sobie życie. Często jest tak, że ktoś popełnia drobne przestępstwo, ale dopiero za kratami staje się prawdziwym kryminalistą.

Po 10 kwietnia w sądzie traktują panią inaczej?

Tylko raz zdarzyła się przykra sytuacja, zaraz po katastrofie. Dzień po powrocie z Moskwy, 14 kwietnia, miałam rozprawę w Bielsku-Białej. Nie było szans, żebym zdążyła. Poprosiłam o przełożenie, ale sędzia się nie zgodziła. Dopiero po mojej interwencji rozprawa została przesunięta na inny termin. Ostatecznie sprawę wygrałam w drugiej instancji.

Ktoś zrezygnował z pani usług?

Pewna pani powiedziała, że skoro tak bardzo domagam się prawdy o Smoleńsku, to ona rezygnuje z usług kancelarii. Stwierdziła, że skoro walczę z władzą, ona nie widzi szans, żebym wygrała dla niej sprawę. Ale to był wyjątek. Spotykam się z dużą sympatią. Niektórzy podchodzą do mnie na korytarzu w sądzie. Mówią, że widzieli mnie w telewizji i żebym się nie poddawała.

Była pani ukochaną córeczką tatusia?

Nie nazwałabym tak naszych relacji. Ojciec potrafił swoje uczucia roz-łożyć po równo na całą naszą trójkę.

Nie było między wami żadnych zgrzytów?

Zdarzało się, że z nim wojowałam. Kochałam go, ale jeśli miałam inne zdanie, mówiłam mu o tym prosto w twarz. Powtarzałam, że powinien strzec się pochlebców.

Zawiódł się na ludziach?

Kilka razy ktoś, komu zaufał, okazał się kimś zupełnie innym. Tych, którzy mówili mu prawdę, była garstka. W tym gronie był jego przyjacie Bogusław Słupik.

Ojciec czuł politykę?

Tak, ale w sensie służby publicznej. Nie miał pociągu do intryg, a prze cież polityka się nimi karmi. Z ojcem nawet nie dało się poplotkować. Kied wypytywałam go o znanego polityka, szybko ucinał rozmowę. „Daj spokój mówił – nie będziemy gadać o głupotach". Wolał porozmawiać o zwierzę tach. Kiedyś przygarnął ze schroniska bezdomnego psa. Nazwaliśmy g Dżekuś. Byli z sobą tak związani, że kiedy tata po raz pierwszy wyjechał n posiedzenie sejmu, pies wył przez dwa dni.

Tata był wysportowany, dużo czasu spędzał w siłowni.

Wpadał tam codziennie. I mnie tym zaraził. Pamiętam, jak zadzwoni dyrektor jego biura w Warszawie i żaliła się, że garnitur ojca jest za ciasn fatalnie w nim wygląda, a ona nie wie, jak mu to powiedzieć. Wszystk przez to, że zaczął więcej ćwiczyć. Tata miał muskulaturę, której mógł m pozazdrościć niejeden kulturysta.

Wykorzystywał swoją siłę?

W młodości bardzo dobrze się bił. Nie był agresywny, ale gdy ktoś ʒ zaczepił, nigdy się nie cofał. Kiedyś na spacerze doskoczył do nas jakiś chł pak i zaczął grozić nożem. Tata szybko podał mi teczkę i podwinął rękaw Tamten wystraszył się i uciekł.

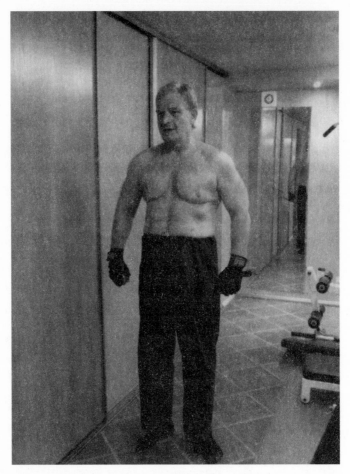

Zbigniew Wassermann na siłowni (fot. archiwum rodzinne)

W domu to ojciec był najważniejszy?

Na pewno był najwyższą instancją. Kiedy pojawiał się jakiś problem, wiedzieliśmy, że zawsze będzie miał gotowe rozwiązanie. Ale nie roztrząsał tej sprawy przy stole. Po prostu w krótkich, żołnierskich słowach przedstawiał swoją propozycję.

Można było ją kontestować?

Ojciec nie był jakimś dyktatorem. Można było skorzystać z jego rady albo nie. Dopóki żył, miałam poczucie, że wciąż jestem dzieckiem. I jest ktoś, kto znajdzie wyjście z każdej najtrudniejszej dla mnie sytuacji.

Rozmawia z nim pani?

Proszę go czasami o pomoc.

Tylko czasami?

Tak. Tylko w ważnych sprawach.

Czyli kiedy?

Gdy nie potrafię sobie poradzić w trudnej sytuacji. Kiedy muszę podjąć ważną decyzję, której skutki mogą mieć dla mnie albo dla kogoś spore konsekwencje.

Nie chce pani zawracać mu głowy drobiazgami?

W czasie studiów dzwoniłam do niego po egzaminach pisemnych i żaliłam się, że kiepsko mi poszło. Mówił mi wtedy: „A wiesz na pewno, że nie zdasz? Jak dostaniesz dwóję, to będziemy się martwić. Na razie nie ma o czym mówić". Dobrze zapamiętałam te słowa.